a pior mãe do mundo

Isabel Clemente

a pior mãe do mundo

Uma biografia não
autorizada de todos nós

5W

Coordenação editorial
Camilla Savoia

Assistente editorial
Luana Balthazar

Capa e projeto gráfico
Leticia Andrade

Diagramação
Adriana Moreno

Revisão
Camilla Savoia
Luana Balthazar
Mariana Oliveira

DADOS INTERNACIONAIS PARA CATALOGAÇÃO NA PUBLICAÇÃO (CIP)

C626p

Clemente, Isabel, 1973-
A pior mãe do mundo: uma biografia não autorizada de todos nós / Isabel Clemente. – Rio de Janeiro: 5W, 2014.
264 p.: 21 cm.

ISBN 978-85-66031-79-9

1. Família – Crônicas. 2. Pais e filhos – Crônicas. 3. Crônicas brasileiras. I. Título.

CDD-B869.8

Roberta Maria de O. V. da Costa – Bibliotecária CRB7 5587

Grupo 5W
Praça Mahatma Gandhi, nº 2, sala 1115
Centro – Rio de Janeiro (RJ)
CEP: 20031-100
www.grupo5w.com.br

Para Eduardo, Letícia e Carolina, o trio que ampliou o sentido do amor em minha vida.

E para minha mãe, que sempre apostou na minha felicidade.

agradecimentos

Jamais saberei quem começou, mas cada um dos leitores que curtiu, compartilhou e comentou minhas crônicas na internet nos últimos cinco anos colaborou com os alicerces deste livro. São pessoas dispostas a encarar com humor e delicadeza uma fase de inegável encantamento e desafios diários. A eles, que deram sentido a esta publicação, meu muito obrigada.

Para evitar esquecer alguém, farei um agradecimento profundo e sincero a todos os amigos que me perguntaram "Você não pensa em fazer um livro?". Foi muito bom ouvir isso. Obrigada.

Minhas palavras serão insuficientes para agradecer à amiga e escritora Martha Batalha pela leitura rigorosa dos originais e pelas sugestões enviadas por escrito de Nova York para o Rio, e devidamente acatadas.

Meu muito obrigada à amiga Martha Mendonça pelo incentivo contínuo e pela fé que sempre depositou na possibilidade deste livro quando ele não tinha cara, título nem editora.

In memoriam, preciso agradecer ao jornalista José Roberto de Alencar, que me deu o primeiro emprego como repórter, mas queria me ver escrevendo também fora dos jornais. Eu estou escrevendo, Zé.

Agradeço à incrível equipe do Grupo 5W que me procurou quando eu queria ser encontrada e se revelou tão apaixonada por este projeto quanto eu. O entusiasmo de vocês me fortalece.

Agradeço ao meu marido, Eduardo, pela paciência de ler cada texto no momento em que foi escrito, reescrito e finalmente transformado em um resultado bem diferente – mesmo que esta leitura tenha sido no intervalo do jogo. Esse tempo todo tenho me valido de seu incentivo, de seu olhar rigoroso e da emoção compartilhada na missão que abraçamos juntos. Obrigada por se interessar sempre pelo meu ponto de vista.

Finalmente, agradeço às minhas filhas, Letícia e Carolina, cuja astúcia, inocência, sensibilidade e presença me ensinam diariamente a ser uma pessoa melhor.

Isabel Clemente

A quem posso perguntar o que vim fazer neste mundo?

Pablo Neruda

sumário

a mãe mais livre do mundo

Existe um sonho obsessivo que toda (boa) mãe carrega dentro de si: o sonho de ser uma mãe perfeita. Ao entrar em contato com a realidade, o sonho envereda por um caminho – muitas vezes sem volta – que traz a aguda pontada da frustração como constante ameaça. Ser mãe é, definitivamente, olhar de frente para as nossas imperfeições. E não há nada mais democrático. Em qualquer lugar do mundo, mãe é uma pessoa imperfeita, coberta de dúvidas, erros, conflitos, perguntas sem respostas, altos e baixos, choros, risadas, descontroles, controles, descontroles de novo...

Isabel Clemente traz – com leveza, humor e destreza –, para mães de todas as idades, a panaceia para os males maternais: assume-se de uma vez a posição contrária à da perfeição. Que tal ser a pior mãe do mundo? Isso liberta as mães do peso da idealização para que possam fortalecer, a cada dia, as qualidades das pessoas reais: sábias, curiosas, tranquilizadoras e abertas às descobertas nascidas dos próprios erros. Mãe é sempre mãe de primeira viagem porque cada filho é único em tudo.

Especialmente deliciosos são os trechos que espelham os corações das mães, captados com doçura pela autora: "Até quando elas pedem colo e eu sinto que, com esse pequeno gesto, aumento o grau de confiança delas com o mundo, eu me emociono. Depois dos filhos, sou capaz de rir e chorar com a mesma cena." *A pior mãe do mundo* é um aconchego só. Dá colo para as mães que acalentam seus filhos com o que há de mais humano, simples, "errado", trabalhoso e delicado: o amor incondicional. Que venham mais filhos!

Karen Acioly*

* *Atriz, autora, dramaturga e diretora teatral, Karen Acioly é conhecida pelo seu trabalho com o público infantil e juvenil. Em 2003, criou o FIL (Festival Internacional Intercâmbio de Linguagens), único festival multidisciplinar internacional para toda a família – do bebê ao avô. Karen é casada, mãe de Ciro e Dora, e avó de Valentina.*

introdução

Os textos reunidos aqui são fragmentos de histórias particulares e universais sobre o poder transformador da chegada dos filhos em nossas vidas.

Foram escritos no intervalo da loucura, na paz da madrugada e às vezes com crianças me espiando debaixo da mesa. Eu queria apenas garantir uma ajuda extra à minha memória, registrando o que eu não gostaria de esquecer e pensando a respeito do que eu não sabia. Você encontrará histórias captadas fora e dentro de mim.

Desconfio que respirar e criar filhos são ações incompatíveis. Reclamo da falta de tempo e de privacidade. Meus dias são curtos, e as noites também. Cansaço define oitenta por cento do meu tempo; nos outros vinte, eu durmo. Estou convencida sobre a chance real de uma criatura pequena encerrar péssimos hábitos alimentares, mesmo sendo criada num lar onde todos comem brócolis no café da manhã. Não duvido mais da possibilidade de um traço genético atravessar adormecido gerações de monges budistas e depositar em uma única criança toda sua carga de rebeldia.

Não espere um manual. Sei menos do que queria, erro mais do que gostaria. Não procure teorias nas próximas páginas. Eu ofereço constatações, e talvez você descubra nessa leitura que os capítulos da vida privada são variados, ricos, engraçados e difíceis à sua maneira; embora o filme resultante dessa sucessão de episódios pareça o mesmo na casa de todo mundo.

Quando se trata de educar, ser um bom exemplo é uma ótima estratégia, mas a longo prazo. Não espere milagres da noite para o dia. O mais difícil na cruzada de criar um ser humano é aceitar o fato de ele não vir com um botão para acionar o modo "sem teimosia".

A boa notícia é que esse enredo familiar cheio de altos e baixos, tiradas e gafes vai nos tornar pessoas com experiências interessantes para a vida. Quando fui parir pela primeira vez, por exemplo, nada sabia sobre partos. Aprendi bastante. Quando fui dar à luz pela segunda vez, eu já sabia, por exemplo, que parto normal demorava. Mas minha segunda filha quase nasceu na recepção do hospital enquanto eu preenchia o CEP da minha ficha. O aprendizado nunca termina.

Filhos são oportunidades para nos tornarmos pessoas melhores. Mais cansadas e neuróticas, porém mais engraçadas, mais criativas e mais humanas. Com as crianças, redescobrimos o mundo e nós mesmos enquanto tentamos responder a alguns mistérios da vida:

De onde vim e para onde vou?
Aristóteles, 468 a.C.

A presidente da República faz o quê?
Letícia, aos 6 anos

A casa do mosquito é de palha, de doce ou de lego?
Carolina, aos 2 anos

– quando eu ser adulta, você ainda vai ser a minha mamãe?

Carolina, aos 3 anos

parte 1

Estas mães dedicadas, contraditórias,
cansadas, tão chatas...

perdi muita coisa?

Eu não assisti a grandes sucessos na televisão. Perdi *Avenida Brasil*. Vi filmes ganhadores do Oscar quando chegaram à prateleira das promoções do videoclube. Deixei de ler livros muito comentados e interrompi leituras. Não acompanhei grandes revoluções tecnológicas nem aderi à última das redes sociais. Também deixei de sair em várias fotos e tem e-mail a que ainda não respondi. Nunca pego a liquidação da minha loja favorita. Não fui a aniversários; perdi diversas comemorações; dei uma desculpa qualquer para não aparecer; não compareci ao choppe da galera. Não revelei fotos. Como prato frio e não é o da vingança. Não pude prestigiar gente querida. Recusei convites irrecusáveis e também deixei o celular tocar sem responder. Reduzi a frequência das minhas viagens e da minha malhação. Encurtei minha passagem por lugares alegres só para voltar rápido para casa. Saí sem me despedir e fiz *forfait* sem querer. Dormi menos. Tive que ver no replay os gols de algumas Copas.

Onde eu estava?

Procurando as regras de um joguinho. Brincando com um morcego de borracha e uma tartaruga de plástico. Colorindo com giz de cera. Montando lego e mandando as crianças guardarem os brinquedos. Também poderia estar interpretando um fantoche ou coçando as costas de alguém. Quem sabe eu estivesse simplesmente cansada em casa, ou sentada ouvindo uma história sem pé nem cabeça, ou apartando uma briga. Ou amamentando.

Eu tentava resolver dilemas e dava atenção para problemas nem tão graves assim. Ria de piadas voluntárias e involuntárias. Se era domingo à noite, você me encontraria cozinhando macarrão; pode apostar. Às vezes, ficava arrumando gavetas inutilmente, separando brinquedos para dar e me perguntando de onde veio tanta tralha. Jogava coisas fora e lia histórias infantis até alguém me interromper. Assistia a programas previsíveis pelo prazer de acariciar a cabeça deitada no meu colo. Andava pela casa com dois rabichos atrás de mim. Limpava bumbuns; vigiava para ninguém se machucar; muito provavelmente dava bronca também. Queria botar a criança para dormir ou escovar os dentes dela, mas me frustrava nas minhas tentativas. Vigiava uma febre teimosa e segurava o nebulizador de madrugada. Tinha dias em que eu tentava dar conta da vida atribulada, dos interesses paralelos, dos desejos, da escrita deste livro, ou ficava à toa, cercando com a minha presença duas crianças pequenas que dependem de mim.

Perdi muita coisa?

confissões de uma pessoa imperfeita

Antes de começar, preciso fazer algumas confissões. Em minha defesa, afirmo que todo ato por mim praticado no papel de mãe deve ser interpretado à luz de uma legislação própria, que me isenta de culpa, acusações de ordem pessoal e julgamentos sumários. Como mãe, eu agia em nome de uma instituição – a família – e por ela fui obrigada a fazer coisas terríveis, como decidir rapidamente com quem ia ficar o carrinho de boneca, qual programa na televisão seria o escolhido numa determinada noite e a que horas iríamos deitar. Não era nada pessoal. Fui forçada também a não escolher um lado quando minhas filhas brigavam. Confesso ter permanecido impassível diante de crianças esperneando em consultas pediátricas, e outras situações menos relevantes, com meu coração em frangalhos. Segurei pelo queixo uma boca que ameaçava engolir toda a espuma da pasta de dente com flúor dizendo que, se ela engolisse tudo aquilo de novo, os dentes permanentes nasceriam marrons. Confesso recorrer ao exagero para evitar o pior em situações de emergência. Eu tive que desembaraçar muito cabelo sob protesto de minhas vítimas, como se fosse sessão de tortura. Mandei todo mundo ir dormir no auge da brincadeira. Em um relance de impaciência, gritei para ser ouvida na enésima vez em que repetia a mesma coisa.

Mas eu também sou frouxa. Na hora de deixar suturarem o queixo da menina, cedi aos apelos infantis e botei fé no esparadrapo cirúrgico. Deu certo. A cicatrização perfeita é minha principal testemunha. Quisera eu saber tão rapidamente se estou acertando em outras decisões tomadas de supetão. Confesso ainda ter titubeado quando a criança me perguntou, às vésperas de fazer 6 anos, se ela cantava melhor do que a Marisa Monte. Havia uma faca invisível na minha garganta esperando a mentira ou a verdade. Sem saber qual caminho me salvaria, optei pela verdade.

"Filha, você canta muito bem, sua voz é linda, mas essa comparação... A Marisa é profissional, adulta, treinou a vida inteira..."

Não precisava ter sido tão honesta. Eu sei. Fui punida por uma criança que saiu batendo o pé, muito chateada, enquanto a navalha terminava o serviço na minha glote.

Eu já menti também. Mas com boas intenções, se servir de atenuante. Quando a irritação consumia a minha alma, chamei-a, entredentes, de "fofiiiiinha". Para me mostrar solidária à alergia alimentar da filha mais velha, eu pedia o sorvete de coco sem leite embora estivesse louca para tomar um de chocolate amargo na casquinha crocante. Eu me controlei, e ninguém percebeu a minha real vontade. Aos poucos fui me libertando disso. Hoje como escondida o que ela não pode. Mas já fiz pior. Muito pior. Talvez a criança com horror a catarro nunca me perdoe por tê-la convencido a assoar uma meleca tão grande que já devia estar bloqueando vias nasais e lacrimais. Ela respirou muito melhor depois de chorar inconsolável.

Confesso ter contrariado as vontades das minhas filhas e a minha natureza toda vez que mandava mal no tom e no conteúdo do meu discurso. Eu me feri por errar quando pretendia acertar. Confesso ter chorado sozinha me sentindo injusta. Confesso ser portadora de uma irremediável imperfeição. Confesso ter me deitado ao lado de minhas filhas na cama e, protegida pelo silêncio da noite, ter pedido desculpas pelas minhas mancadas. Confesso ter contado para elas que sou humana. Assumi ficar triste quando dava broncas demais e que não suporto a ideia de dormir zangada com elas. E insisto em conversar mesmo quando elas não querem me ouvir, na esperança de que um dia me entenderão. Eu queria ser legal o tempo inteiro, mas não dá. Sou terrível e culpada por tudo isso. Como disse, é o meu papel. Não é nada pessoal.

ela também vai ao cabeleireiro

Você acorda num sábado querendo ir ao salão. Não faz as unhas há três semanas, está com a depilação vencida e seu cabelo não vê uma hidratação ou tinta há meses. Depois de se julgar merecedora desse cuidado, você conclui que ficar três horas no salão é meio demais; nem você aguenta tanto. O melhor é relaxar enquanto lixam e pintam suas unhas. Então você avisa à galera: "Vou na rua e não demoro." Ninguém protesta e você sai tentando não chamar atenção. Você escolhe aquele salão que tem uma cadeira capaz de acomodar suas pernas esticadas. Você precisa relaxar. A semana foi puxada, uma criança cismou de ter pesadelo e te acordar noite sim, noite não; você dormiu pouco e não seria má ideia tirar um cochilo com aquele algodão molhadinho nos dedos. Quem sabe você aproveita para fazer as unhas dos pés também, se der sorte. Então você consegue uma manicure, se acomoda na cadeira relaxante, agradece o café, dispensa a revista porque você não quer nem ler. Prefere fechar os olhos e aproveitar uma hora inteira, só para você, mas o celular toca. Você confere de rabo de olho. É da sua casa. Melhor atender, vai que é urgente.

– Alô?

– Mamãe?

– Sim, querida.

– Eu posso brincar no seu computador?

– Não, flor, você sabe que não pode brincar no meu computador quando não estou em casa.

– Deixa, vai...

– Não, querida, não pode.

– Chata!

– Você me ligou só pra me chamar de chata, foi?

– Então eu posso jogar no do papai?

– Papai está em casa. Por que você não trata disso com ele?

– Tá bom, tchau.

E desliga. Você desliga, a manicure levanta o olhar pra você, sorri solidária.

– Tem filhos?

– Duas.

– Qual a idade?

– Sete e três.

– Ah, pequenas...

– Muito.

Vocês retomam o relaxamento do ponto interrompido: ela continua quieta e você de olhos fechados. Mas o celular toca novamente. É da sua casa. E você começa a perder a ternura na voz. Não é urgente.

– Alô?

– Mamãe?

– Filha, o que houve agora?

– Papai não quer deixar eu usar o computador dele.

– Por quê?

– Porque ele está usando.

– Minha filha, se ele tá usando, não pode mesmo te emprestar. Por que você não brinca com sua irmã? Eu não vou demorar, tá? Daqui a pouco tô aí!

– Tá bom.

Você sorri novamente para a manicure. Ela já não pergunta nada, e você volta a fechar os olhos no automático, mas algum sistema dentro de você já está em alerta, pronto pra se irritar com a próxima chamada.

Quando ela começar a pintar suas unhas, o telefone tocará novamente, e aí, como pessoa experiente que é, você já deixou o fone enganchado no seu ouvido e basta apertar o botão para atender à ligação.

Sua voz ganhou de uma hora para a outra um tom ríspido.

– Gente, o que foi agora? – Gente: vocativo indicador de irritação. Não tem gente no telefone, apenas uma pessoa, mas a sua vontade é de fazer um discurso para os três que ficaram em casa. – O que foi agora? – pergunta retórica porque, no fundo, você não quer saber o que está acontecendo agora.

Uma filha reclama da outra. A outra não empresta o brinquedo, então a brincadeira não está dando certo. Aí você pergunta: "Por que você não fala com o seu pai em vez de ficar ligando pra mim?", e diz que precisa desligar.

Antes que o telefone toque de novo, você decide ligar para o celular do seu marido e brigar com ele.

– O que está acontecendo aí? Por que elas ficam me ligando?

– Não sei.

– Assim não dá pra pintar as unhas. Não vou mais atender, ok? E está quase na hora do almoço delas, não esquece, por favor – e desliga irritada.

Antes de deixar a cadeira confortável onde não conseguiu relaxar nem dez minutos, toca o telefone, mas o número indica o celular do marido, não mais o telefone fixo. Você pensa em ignorar, mas atende rosnando, e ele, doce, pede desculpas por telefonar, e te chama de “minha linda”. Só quer saber, “mulher da minha vida”, se o estrogonofe está com creme de leite ou se pode dar para a filha alérgica.

Você respira fundo, pensa que ele premeditou todo o discurso, tem ímpetos de rir, mas acha que eles fazem de propósito. Responde a esta e a outras dúvidas recorrentes, porque o marido simplesmente adora te perguntar sobre tudo, e decide esticar a voltinha na rua dando uma espiada na sua loja de sapatos favorita; assim não há mulher que aguente.

ela nunca retornará à mesma forma

É natural que muitas mulheres se perguntem como ficará seu corpo depois da gravidez. A experiência de ver sua barriga crescendo sem parar durante nove meses é esquisita até para a mais cuca-fresca das mulheres. Não fomos treinadas para nos acostumar com um ponteiro de balança que só faz subir. Mas se a gente seguir uma dieta sensata, tiver um histórico dedicado a atividades físicas e mantiver esses hábitos saudáveis durante a gestação, a chance de retomar o antigo corpinho aumenta bastante. É real. No entanto, o que você nunca mais vai recuperar da forma como estava antes é a sua cabeça.

Filho dá um curto-circuito nas nossas emoções. Eu sempre fui sensível, mas perdi completamente o controle depois de ser mãe. Comecei a chorar nas situações mais bocós, como no show da Galinha Pintadinha, só porque minhas filhas cantavam animadas as músicas que sabíamos de cor. Eu me peguei com olhos marejados assistindo a filmes infantis como *Tinker Bell*, quando a letra da música falava sobre a capacidade de se acreditar em fadas. Como não acreditar, me diz?

Chorei quando vi minha filha vestida de flor com pétalas gigantes em torno da carinha bochechuda para dar as boas-vindas à primavera, quando ouvi a primeira gargalhada, e diante de um adeusinho acenado do meio da quadrilha da festa junina. Passei a chorar em todos os casamentos, batizados e jogos de futebol. Corais também me emocionam. Senti lágrimas sem noção se aproximando porque ao meu lado havia crianças inocentes querendo interagir com personagens de uma peça de teatro. Até quando elas pedem colo e eu sinto que, com esse pequeno gesto, aumento o grau de confiança delas com o mundo, eu me emociono. Comecei a ficar profundamente incomodada e mexida com notícias trágicas envolvendo crianças. Tudo me comove. Depois dos filhos, sou capaz de rir e chorar com a mesma cena.

Se isso não é uma pane permanente no circuito das minhas emoções, não sei o que é. Nada mais passa por mim sem provocar um cataclisma em torno do meu coração. Mas tem uma explicação: a espontaneidade, a entrega e a fantasia infantil compõem o tripé desconcertante de uma inocência que me arrebata, me faz sentir única e também vulnerável.

Se você já é uma manteiga derretida e pretende ter filhos, só digo uma coisa: está lascada. Conclusão que se aplica aos homens também.

ajuda-me, senhor

Em um domingo dedicado às crianças, ao passar das 23h da noite, você constata que elas ainda não dormiram, a agitação corre solta, você não comeu, não tomou banho, não cumpriu um décimo do planejado antes do fim do dia e está tentando há duas horas, sem sucesso, fazer a criança de 2 anos relaxar, enquanto a maior não para de falar no quarto ao lado. Então você se pergunta por que, afinal, o pai não manda ela fechar a boca porque tagarelando desse jeito não tem santo que durma, e você fica achando que estão abusando da sua boa vontade, que assim não tem condições. Será o Benedito! E aí aquele egoísmo ridículo vai minando a sua paciência, e a irritação – veneno que corre nas veias dos estressados – acaba com o melhor de você. Nesse momento, sua filha de 5 anos pergunta, com um fiapo de voz, "Mamãe, por que você tá tão irritada?". E você só pode dizer a verdade:

– Porque estou cansada, e pessoas cansadas ficam irritadas.

– Nem todas as pessoas cansadas ficam irritadas.

– Ah não?! E você conhece alguém que não fique, por acaso?

– Não. Mas no planeta tem muitas pessoas, deve ter uma que não fica irritada.

Deitei ao lado dela em silêncio, no escuro. Alguns cafunés depois, ela dormiu e eu rezei.

– Deus, eu quero ser essa pessoa.

sustos inúteis

Mãe leva susto à toa. Sabe por quê? Porque diante do inusitado, nem sempre consegue resolver o problema de imediato. Naquele instante em que ela balança desesperadamente a porta do armário para ver se a coloca de volta no trilho, livrando a filha da prisão temporária no meio das roupas, ela tem certeza de que não seria levada a sério caso tivesse que acionar um pedido de socorro.

O diálogo poderia ser assim:

– Alô? É do bombeiro? Minha filha está presa no armário!

– Ela se trancou?

– Não, porque não tem chave.

– Como foi isso, senhora?

– Ela se escondeu, a porta é de correr, grande e pesada, deve ter saído do trilho porque não se move.

– A senhora já tentou botar de volta no trilho?

– Sim, mas não consigo. Se insistir, vou quebrá-la, mas o armário é novo e....

– Sua filha está bem?

– Sim, mas eu não. Lá está escuro, pode faltar ar.

– Fique calma, senhora.

– Não consigo respirar.

– Respira, respira.

– Tá funcionando... Tá funcionando... Melhorei.

– O armário está todo fechado?

– Não, a porta abriu uns 20 centímetros, mas ela não passa pela fresta.

– Força um pouco para ver se ela sai.

– Não dá.

– O fabricante não tem suporte técnico?

– Hoje é domingo.

– Verdade.

– E não é defeito de fabricação! *Pelamordedeus*, alguém precisa soltar minha filha.

– Senhora, no momento não temos viaturas, estamos com muitos chamados.

– Não precisa de viatura. Manda um bombeiro de ônibus, de táxi. Eu pago.

– Senhora, não temos esse procedimento.

– Escuta, meu marido está viajando. Qual é o procedimento para livrar uma criança presa dentro do armário? E se ela sufocar? Se quiser fazer xixi? Se tiver fome?

– Fale com ela. Vê se ela está querendo algo.

– Agora estou falando contigo.

– Ela te ouve?

– Sim, ouve, claro.

– E o que ela está fazendo?

– Ela está conversando com a irmã.

– Ótimo, deixe-a assim, talvez relaxe enquanto a senhora tenta resolver.

– Ela está relaxada! Ela está... Rindo? Letícia você está RINDO? As duas estão gargalhando. PAREM DE RIR! Isso não tem graça!

– Senhora?

– Não faça isso! Carolina, não!!!

– Senhora, o que houve?

– A menor está tentando passar pela fresta para dentro do armário! Não entre aí! Estou A-VI-SAN-DO. Moço, ela entrou! Por favor, moço, minhas duas filhas estão agora dentro do...

– Tu-tu-tu-tu.

– Ai meu Deus, a ligação caiu. Vocês vão ver só quando saírem daí!

a última a dormir

O plano estava traçado e, em tese, parecia simples. Precisava apenas colocá-lo em prática. Muitas mulheres já tinham feito isso antes. Nem precisava de tanta coragem assim, vai. A bem da verdade, eu não conhecia nenhuma história parecida, mas queria acreditar nelas. A utopia é a arma dos fortes e a audácia, a antessala do ineditismo. É só agir naturalmente, pensei, e assim bateria meu próprio recorde.

Ensaiei a semana toda diante do espelho minha estratégia subversiva. Estava prestes a pecar, disse para mim mesma, sorrindo com o canto da boca. Levantaria calmamente, olharia um a um e diria "boa noite, boa noite e boa noite", com aquele jeito Julie Andrews. E, naquela noite, eu seria a primeira a dormir.

Pensando bem, fora de uma canção, ninguém diz três "boa-noites" sem gerar comoção, algazarra e gritaria. Soaria como provocação e o resultado óbvio seriam crises, choros, crianças repentinamente carentes e marido inesperadamente irritado.

Melhor não chamar atenção. Levantaria em silêncio absoluto, como quem vai buscar um copo d'água na cozinha, e não voltaria mais. Simples assim e sem avisar, com sobrancelhas levemente arqueadas *à la* Greta Garbo para reforçar o ar de determinação. Ri sozinha e alto. Até todo mundo se dar conta, eu estaria dormindo, ancorada num sono profundo e restaurador. Missão cumprida com louvor. Talvez eles ficassem comovidos pensando "ela deve estar mal mesmo, melhor deixar". E ficariam todos em um silêncio obsequioso, velando o cansaço da mamãe.

Mas havia uma hipótese plausível e perigosa. Alguém suspeitaria de ato tão sub-reptício e, na melhor das intenções, chegaria perto perguntando: "Mamãe, você tá bem?". Daí mamãe teria que acordar para responder: "Sim, estou viva. Obrigada, meu bem." E já era.

Talvez fosse melhor sair da sala dando uma desculpa. "Vou ali no quarto buscar um livro e já volto." O "já volto" deixaria os filhos e o marido ocupados com uma satisfação vaga enquanto eu vestiria a camisola, escovaria os dentes, apagaria a luz, fecharia a porta e deitaria para dormir. Havia um risco embutido nessa estratégia também. Distraídos, deixariam o tempo passar, e sem mamãe dizendo que é hora de dormir e encerrar a brincadeira, ninguém se daria conta do que precisava fazer. A hora avançaria impiedosa trazendo cansaço e irritação para dentro de casa. O pai tentaria abreviar o ritual do sono, crianças bateriam o pé insistindo em lanchinhos, para só depois escovar dentinhos, limpar bumbunzinhos, mudar roupinhas, contar historinhas, e a crise estaria instalada. Péssima ideia, péssima ideia.

E se eu simplesmente admitisse com naturalidade?

"Gente, estou muito cansada, não estou a fim de esperar vocês dormirem, nem de dar lanche, resolver conflitos, elaborar cardápios, escovar os dentes, contar história, fazer massagem, trazer água, apagar a luz, levar ao banheiro e apagar a luz de novo. Hoje não, tá bom? Só hoje... Preciso dormir neste exato momento. Ouviram? Hoje vocês se viram sem mim, né? Não posso ouvir miado, chilique, resmungo, chorinho, choradeira, criança implorando, beijinho... Nada."

Restaria ao marido referendar o discurso e, às crianças, colaborar, sem protestar. O espelho me dizia, porém, que essa sonhada reação da família era um tanto improvável. E se eu me levantasse, desse um beijo em cada uma das crianças e sussurrasse no ouvido delas assim: "Tenho um plano. Eu vou me esconder embaixo das cobertas e ninguém fala nada. Quando papai perguntar, vocês dizem 'mamãe está dormindo há muito tempo, ué'."

Criança adora ser cúmplice de travessura. Dormir antes de todos seria a suprema travessura da mamãe. Daí o pai seria o único a não ser avisado com antecedência. As meninas seriam compreensivas e facilitariam todo o procedimento do sono. Ele nem notaria a ausência da mulher.

Sonhando acordada, voltei a encarar o espelho procurando uma solução mais plausível, ou mais natural pelo menos.

E se eu avisasse ao meu marido, companheiro e cúmplice, de toda a história? Faria a pior cara de cansaço do mundo para suscitar pena. Não. Falaria logo irritada para mostrar que não tem negociação; ou faria uma cara boazinha como quem dá uma informação irrelevante?

"Não esquece de oferecer um lanchinho. Beijo." Tudo bem simples, tudo natural, como na velha canção? Também não. Decidi ser direta e solene. Sem intimidade ficaria mais fácil, apostei. E discursei como se estivesse em cadeia nacional:

"São 21h, horário de Brasília, e percebo que nenhuma das crianças está com pinta de que vai dormir tão cedo. Diante dessa situação incontornável, anuncio que vou me deitar. Não quero ser seguida por quem quer que seja, apertem o botão de *unfollow* neste minuto. Não venham tirar dúvidas comigo, a não ser que seja um caso de vida ou morte. O uso da suíte está suspenso a partir de agora porque o barulho da porta pode me acordar. Não gostaria de ouvir chuveiro, descarga, gritos, choros, gargalhadas, meu nome ou minha alcunha, nem em sussurro, porque sussurros, descargas e chuveiradas me acordam. Tenho o sono leve e, se eu não conseguir descansar, terei um piripaque ou quem sabe até um treco. Piripaques e trecos podem transformar uma doce mãe num monstro horroroso. Nenhum de vocês gostaria de encarar esta figura verde diariamente. É inaceitável que eu tenha atingido este estado de fadiga. Desta forma, espero que respeitem minha decisão, soberana e individual, mas capaz de beneficiar a coletividade em muito pouco tempo. Vocês notarão uma melhora geral no meu estado de espírito e no meu humor logo pela manhã. Tenho um altíssimo poder de regeneração. Só peço uma chance. Grata pela atenção e pela compreensão de todos vocês. Boa noite." Surpresos, crianças e marido ficaram em silêncio absoluto e a mãe dormiu feliz, umas dez horas seguidas e, mesmo dormindo demais, acordou sem dores de cabeça, nas costas ou no pescoço. Um milagre.

Agora a vida como ela é. Passava das oito da noite e eu disse inesperadamente como quem teve uma ideia inédita: "Já sei! Vou dormir."

Como se tivesse ouvido uma piada, meu marido gargalhou. A filha mais velha, que não me levou a sério, comentou para si mesma "até parece". Impávida, como quem diz "me aguardem", rumei para o quarto. Fechei a porta, apaguei a luz e me joguei de roupa e tudo na cama como um soldado ferido de guerra. Sem banho ou jantar. Respirei fundo. Senti o lençol abraçando meu corpo, o colchão se moldando à minha alma. Todos os meus músculos disseram "aaaahh", e um estranho silêncio se fez. Por pouco tempo. Em minutos, ouvi gritos, correria, brigas de meninas. Criança chamando do banheiro, porque acabou de fazer algo. *Caramba, ninguém vai limpar?* O pai gritou que estava a caminho e eu percebi que ninguém tinha me levado a sério. A confusão do lado de fora não era compatível com meus planos. De repente, a porta do quarto foi escancarada, um faixo de luz entrou junto com uma pequena criatura de 4 anos que chegou bem perto do meu rosto e ficou me observando na penumbra, tentando identificar meus verdadeiros sentimentos. Senti seu hálito infantil.

– Mamãe? – ela sussurrou.

Silêncio.

– Mamãe? – disse a criança, elevando o tom e respirando bem perto de mim.

– Ma-mãe? – disse, impaciente.

Silêncio.

– MAMA-NHÊ!!! – gritou, tentando abrir meu olho com os dedinhos.

– Estou dormindo – resmunguei.

– Mamãe, deixa de bobeirinha.

Eu sabia. Era ousadia demais.

ela tem medos

Você ficava atenta à qualquer possibilidade de visitar um país muito distante a trabalho. De preferência um destino que você jamais escolheria para conhecer por conta própria, pagando. Depois de ter filho, passou a achar os roteiros seguros, previsíveis e civilizados as melhores pedidas.

Continua gostando de viajar, mas seu desejo de ir até o desconhecido é inversamente proporcional à distância a que o destino se encontra dos seus filhos? Quanto mais longe, menos vontade de ir você tem?

Adorava esportes radicais, e agora está achando que subir no Empire State Building é radical demais?

Vivia entrando em canoas furadas, em aviões monomotores sobre densas florestas tropicais, e agora fica tensa em qualquer voo comercial?

Você é uma bióloga. Sempre sonhou passar seis meses no meio da Amazônia para estudar os hábitos alimentares dos botos, em rio com piranhas e margem com jacarés. Agora que é mãe, você acha que o risco de contrair malária é alto demais, que rio com piranha é coisa de filme e que, no fundo, no fundo, ninguém está interessado nessa pesquisa? Até porque seus filhotinhos estão com péssimos hábitos alimentares que também requerem pesquisas de sua parte, certo?

Você adorava a ideia de voar de asa delta. Chegou a se programar para isso, mas choveu no dia e você teve que adiar. Você adiou tanto que engravidou, o filho nasceu e hoje não entende como pôde alimentar essa ideia de jerico por tanto tempo.

Você gamou no cara, um surfista de ondas gigantes. Nunca tinha conhecido alguém tão ousado e tranquilo ao mesmo tempo. Aí vocês tiveram um filho, aliás, dois, e você, de tiete, passou a ativista contra o surfe em ondas gigantes, com uma campanha para ele se aposentar. Tem coisa mais perigosa do que ficar surfando onda gigante por aí?

Está achando essas perguntas um exagero, as situações são todas absurdas, mas sorriu solidariamente porque, de alguma forma, se identificou com o que eu estou tentando dizer?

Se você respondeu sim a pelo menos uma das perguntas acima, bem-vinda ao clube.

Eu não sei que fenômeno é esse, mas estou quase certa de sua existência. Não é regra e existem exceções.

A gente se acha a audaciosa da vez, mas abandona certos hábitos depois dos filhos. Talvez porque nosso instinto de sobrevivência aflore. Talvez porque criar a prole seja algo por si só radical. Talvez porque nos damos conta da fragilidade da vida e passamos a abrir mão de riscos desnecessários.

Estávamos na praia quando minha filha mais velha e sem noção me chamou de medrosa. Eu estava cortando o barato dela, confesso. Ela queria se deixar arrastar pelas ondas onde a água não passava do meu joelho. Mas o mar estava forte, havia correnteza, o pai não estava por perto e eu não me garanto nem com o nível do mar pelo tornozelo.

Eu já voei em monomotores, entrei em barcos pequenos em mar aberto e agitado. Quase naufraguei em Fernando de Noronha. Esperava, sem entrar em pânico, o fim de turbulências nos aviões. Nunca tive uma queda por esportes radicais. Custei a mergulhar com garrafa, mas nadei em meio a tubarões e arraias gigantes no Caribe. Subi no mais alto teleférico do mundo pouco antes de ele ser interditado por falta de segurança. Já me arrisquei bastante. Isso, claro, sem mencionar os dois partos normais, algo bem radical hoje em dia.

Eu posso até não ser mais tão atirada. Canalizei minhas forças para outras áreas da vida. A maternidade tem me ajudado a superar medos mais profundos do que o de naufragar. No mais, em minha defesa digo que toda minha reticência para atividades radicais, como pegar jacaré, é compensada pelo pai, que promete levar as filhas para fazer rapel, escalada e mergulho. Estou perdida e perdoada, portanto, pelos meus exageros.

mães possíveis

Grávida da primeira filha, também fui tomada por aquele impulso conhecido por nove entre dez grávidas do planeta. Eu queria saber mais sobre bebês, esses seres pequenos e dependentes que vêm sem manual. Eu fui me municiando com leituras sobre a relação entre mãe e filhos, a autoestima das crianças, a criação de meninas e os princípios básicos para educá-las em qualquer tempo e lugar. Eu queria sorver da melhor fonte de conhecimento disponível para me sentir um pouco mais preparada. E olhava o grande mistério da vida pelo lado mais complexo: o invisível vínculo que me afetaria pelo resto dos meus dias.

Aí a filha nasceu e eu percebi que havia conhecimentos mais imediatos e práticos a adquirir: amamentar, trocar fraldas, dar banho. Entraram em cena os guias sobre a vida do bebê e tudo aquilo sobre o que esperar quando eles estão berrando no berço. Eu precisava interpretar choros porque o pediatra avisou: "Crianças têm vários tipos de choro e de tosse. Você irá identificá-los." Irei? Ele estava tentando convencer uma aborígene que geada não é neve.

Por que eu estava tão preocupada com a autoestima da minha filha se tudo que ela precisava, naquele momento, era de uma pessoa capaz de discernir seus desejos pela entonação do berreiro? Era preciso curar a cólica, vaciná-la e ensiná-la a dormir. Anotar o aparecimento do primeiro dente, da primeira palavra, da primeira gracinha. Era preciso fotografar e revelar depois, vai que esse arquivo digital...

Atropelada pela introdução de alimentos sólidos – doces e salgados – e sucos variados, a gente se esmera em estabelecer a sonhada rotina porque, de uma hora para a outra, a licença acaba, o sinal bate e alguém grita lá do alto da escada "acabou o recreio", e você tem que voltar ao batente, sufocada por tanta vontade de cuidar do filhote. Como se fosse possível se ausentar completamente por cinco meses e voltar ao mundo como se nada tivesse acontecido; algo na linha "fui ali parir e já voltei". Logo agora que você estava se tornando uma especialista em choros?

E a rotina, como mantê-la? Você tem que combinar com todo mundo – com quem te ajuda, com a creche, com quem quer que seja – os seus princípios. Mas a papinha desanda, a criança adoece, a empregada falta, o sono atrapalha o almoço, a avó não pode, a faxineira não aparece, e você – a especialista em choros – tem que trabalhar e descobre que rotina existe para ser bagunçada de vez em quando: dá macarrão para a criança; e daí que o prato não está colorido hoje, que a papinha foi congelada, que você deu um banho só em vez de três? E entra em cena a culpa de ignorar a cartilha. O fim de semana chega, o cansaço se acumula e todo mundo acorda tarde. Tudo o que você quer é adiar o dever de casa, a pesquisa e todas as obrigações que você se esforçou tanto em impôr aos filhos.

Aí ainda aparece a moda dos modelos de mães por origem, numa onda festejada e propagada como oposição à funesta permissividade de onde brotam as crianças manhosas: chinesas, tão disciplinadas; francesas, tão educadas. E você se toca que de chinesa, você tem muito pouco. Até banca a francesa de vez em quando, mas formar uma criança é uma obra com requintes de batalha social. Família *versus* toda a influência de fora. Como se fosse possível dividir os dois. E essa tênue cortina de fumaça que separava os dois mundos, o de casa e o de fora, vai se esvanecendo até sumir por completo. Somos um produto do meio, resultado de nós mesmos, das nossas atitudes, das nossas manias, dos nossos pensamentos, do nosso passado, do nosso presente. Com os filhos não seria diferente.

Resta-nos torcer para que a disciplina tenha sido aprendida, a educação, assimilada, e as regras, internalizadas, para que a criança aprenda a caminhar neste mundão de meu Deus acompanhada do básico: o bom senso (principalmente quando mamãe e papai não estiverem por perto). Assim sempre foi, e assim será.

Entre a mãe chinesa e a mãe permissiva, há um vasto mundo de mulheres que buscam equilíbrio. Conhecem as regras, mas olham além da aparência. Não estão satisfeitas apenas em ouvir "obrigada" e "por favor", se o olhar do filho está triste. Não se conformam em vê-lo sentadinho e comportado, se ele não fala nem quando deve. Querem ensinar os filhos sobre liberdade e limites. Essas mulheres, talvez sufocadas pelo ritmo frenético de uma cidade grande e da própria vida, precisam se adaptar, abrir mão de muitas coisas e fazer sacrifícios, mas sem encarar a vida como quem se entrega a um algoz. Para elas, impossível é uma palavra a ser banida do dicionário.

Essas mulheres não são chinesas nem francesas. Somos provavelmente eu e você, as mães possíveis. Prazer.

não são todas iguais

Você acha que mãe só muda de endereço? Eu não. Ser mãe é uma missão de muitas nuances. Por mais que a gente se prepare, leia, troque ideias e estude durante a vida para executá-la da melhor maneira possível, cabe muito improviso. A pessoa encontrará pela frente situações, personalidades e desafios tão variados que, arrisco dizer, não consegue ser igual nem com um filho depois do outro. Que dirá em endereços diferentes. Eu me tomo como exemplo.

A primeira filha conheceu uma mãe – Dona Antisséptica – louca por manuais sobre bebês. Chorei quando a enfermeira furou a orelha dela e chorei nas vacinas também. Por acreditar-se despreparada, Dona Antipsséptica tratou de arrumar uma enfermeira e usou seus superserviços por quarenta dias. Quando a moça foi embora, o mundo era mais ou menos como uma escura floresta sem placas sinalizadoras, e a filha, um filhote indefeso, ficou largada aos cuidados dos pais, esses incompetentes.

Esta mulher fervia mamadeiras, chupetas e mordedores, fazia questão de papinhas feitas no mesmo dia com legumes frescos e tinha horror a essa mania que todo mundo tem de pegar seu bebê no colo sem tomar banho de álcool em gel antes. Ela mantinha os álbuns de fotografias atualizados e todas as gracinhas escritas. Essa mãe ligou para o pediatra preocupada quando a filha comeu lenço umedecido e achava que a menina precisava de atenção vinte e quatro horas por dia, com o risco de parar de respirar se alguém não estivesse olhando.

Comprou CDs tranquilos para a filha ouvir – Baby Einstein, Baby Mozart e Baby Beatles –, e considerava a televisão um dos venenos a serem banidos do campo de visão do seu bebê. Dormia quando a filha tirava soneca. Voltou a fazer pilates um mês depois do parto. Tinha disposição e paciência. Usou estratégias da moda para sua filha dormir a noite toda; e ela dormiu a noite toda aos 3 anos e meio. Essa mãe seria incapaz de discordar do marido, mesmo na frente de um bebê de 6 meses; ela sabia que coerência é um importante pilar na vida do casal. Essa mulher voltou aos prantos da licença-maternidade sentindo-se a pior das criaturas por abandonar uma criança em formação.

A segunda filha encontrou a mamãe cansada de não dormir e de ler manuais. No dia em que voltaram da maternidade, a babá resolveu ir a uma festa, e Mamãe Cansada, mais segura de si, logo viu que não precisaria dela nem naquela noite, nem em dia nenhum depois disso. Só voltou a ter outra babá pouco antes de retornar ao trabalho, porque acredita que ninguém cuida melhor dos filhos do que os pais. Essa mãe não quis assistir ao ritual de furar a orelha, mas não chorou. Nem nas vacinas.

Ela continua fazendo as crianças gargalharem, mas dá bronca na segunda filha desde que ela aprendeu a sentar. Além de não comer legumes e verduras, a filha mais nova conta com a cumplicidade da irmã para duplicar as bobagens que faz, e as duas levam broncas. Essa mãe parou de ferver chupetas no décimo dia de vida da segunda filha (ou terá sido no quinto?) e desistiu dos mordedores. Bebê morde qualquer coisa que tenha à mão. Essa mamãe sabe que Fisher Price é legal, mas caixas vazias também, e custam bem mais barato. Ela perdeu o controle sobre a revelação de fotos e, não sabe por que, sobre o tom da própria voz. Ela chegou à conclusão de que a filha podia brincar sozinha sem o risco de parar de respirar ou ficar traumatizada.

Mamãe Cansada heroicamente voltou a fazer pilates quando a segunda filha tinha dois meses e faltou bastante às aulas depois. Quando o professor mandava ela acionar a força abdominal, ela achava que acionar a força de vontade bastava. Essa mãe também resolveu que, entre um CD infantil e outro, a filha podia ouvir Lulu Santos, Alceu Valença, Chico Buarque e Legião Urbana, porque os pais merecem mudar o fundo musical da casa de vez em quando. Ah, e podia ver TV também. Que mal há nisso? No batizado, a neném, já sem vestido, rodou por todos os colos cheios de perdigotos enquanto mamãe, distraída, sorria feliz esquecendo-se do álcool em gel. Ela tira muitas fotos também, só falta revelar.

Essa mãe brincava com a filha mais velha quando a caçula dormia e, por isso, continuou cansada. Ela voltou a trabalhar tranquila – e cansada – depois da licença-maternidade porque sabia que uma menina tinha a companhia da outra. Ela não usou estratégias da moda para sua filha dormir a noite toda. E a filha dormiu a noite toda aos 3 anos e meio. Essa mulher se esforça para deixar o pai fazer as coisas da maneira dele, mesmo que elas cheguem na escola cheirosas, mas despenteadas.

A vida dessa mulher ficou tão corrida que, às vezes, ela se esquece que, para discordar do marido sobre algum quesito da educação das meninas, ela precisa sair do campo de visão e audição das crianças. Para ela, o bom humor é o verdadeiro pilar na vida do casal com dois filhos, porque ela se leva menos a sério.

Mas Dona Antisséptica e Mamãe Cansada têm vários pontos em comum, como a vontade de acertar e o hábito de escrever o quanto ela tem se divertido, aprendido e sofrido com o crescimento de suas meninas.

mulheres interrompidas

Uma menina só de calcinha, cabelos molhados e olhar sapeca está escondida embaixo da minha mesa, sentada aos meus pés. Fixo o olhar em seu sorriso branco, de dentes pequenos e espaçados. Sinto cheiro de shampoo infantil. Ela foge do pai, que neste momento encarna um pirata malvado disposto a trocá-la por moedas de ouro. Ouço uma gargalhada escapolindo baixinha. Digo que não sei de menina nenhuma, nunca vi menor nem mais engraçadinha. O pirata insiste. "Sinto fedor de criança cheirosa", diz com voz gutural de personagem malvado. Outra gargalhada debaixo da mesa. Eu olho para ela e boto o indicador na frente dos lábios. Ela repete meu gesto, rindo, nada silenciosa.

Penso que nunca tenho paz para escrever. Nem meia hora sem que alguém invada correndo o lugar onde estou, fale comigo ou me peça qualquer coisa: "Mamãe..."

Tem hora que isso me irrita. Tem hora que isso me encanta. Quinze minutos antes da perseguição pirata chegar à ilha-mamãe, tinha vindo a filha maior, chateada porque não conseguia enrolar a toalha no cabelo como eu faço.

– Mas eu não uso uma toalha tão grande. Pega uma menor.

– Eu queeeero essa – ela diz, quase miando.

Tento uma vez, duas, digo um tanto impaciente para ela abaixar a cabeça como quem espia o próprio joelho. Ela abaixa demais e a toalha despenca.

– Levanta. Assim não.

Tento de novo. A toalha fica muito para trás, puxando os cabelos dela e desequilibrando seu corpo pequeno e magro. Ela reclama. Eu tiro, tento de novo. Digo "abaixa". Ela se curva demais, quase encosta o topo da cabeça no chão; cabelos limpos e cheirosos esparramados no piso. Adoro esse perfume infantil. Noto que ela está de palhaçada e jogo a toalha inteira cobrindo seu corpo e desisto.

– Vai, ô patetinha, some daqui e me deixa escrever...

Ela fica sentada no chão, rindo de bobeira, coberta pela toalha.

– Vai, filha, deixa mamãe escrever um pouco, só um pouquinho antes do almoço, por favoooor – digo, implorando.

Eu peço "me deixa", mas nem sempre me deixam; uma hora elas voltam. Como o rebanho adestrado que retorna ao estábulo sem o pastor para guiar.

Eu não fico sentada muito tempo lendo jornal. Leio livros parando antes do fim de um capítulo e marco com um lápis o parágrafo no qual estava. Eu leio no metrô e tomando chá de cadeira de alguém. Em casa, quase não falo ao telefone, e TV só quando elas estão dormindo. Eu não janto ou tomo café sem levantar da mesa umas quatro vezes pelo menos. Nem assisto a um filme de um fôlego só. Já aconteceu de eu e meu marido termos de ver um filme em sessões durante três dias seguidos. Foi uma exceção, um exagero, apenas para confirmar a regra. Sofro interrupções todo dia e me falta tempo.

Nos fins de semana, não existe intervalo entre café da manhã e almoço, almoço e lanche, lanche e jantar. A impressão é que o lanche vai interromper o almoço e que a única solução seria usar tudo descartável para não gastar tanto o pouco tempo livre só lavando a louça.

É raro eu tomar um banho com calma. Até o sono está sujeito a interrupções. E quando tudo emana paz, uma febre interrompe a rotina, e eu sigo assim, mulher interrompida, obrigada a resgatar o fio da meada, a retomar o que quer que seja do meio do caminho, a desenvolver uma ideia com princípio, meio e fim por mais pausas que o raciocínio tenha.

Mas não sou a única. Meu marido sente-se da mesma maneira e, provavelmente, você também, que leu até aqui e pensou em algum momento "Essa pessoa sou eu!". Somos uma legião de homens e mulheres interrompidos pelos filhos. Há de ter jogo de cintura – e muito bom humor – para lidar com essa situação porque, para educar, não adianta apertar um botão.

Enlouquecedor? Pode ser, mas eu tenho outra teoria. Nada científica. Desconfio que, diante de tanta dificuldade, o cérebro tenha desenvolvido um *modus operandi* veloz para contornar os obstáculos e completar as sinapses antes da próxima interrupção. De acordo com inúmeros estudos, os neurônios captam as necessidades do organismo para responder a um determinado estímulo ou produzir certa atividade. As células neurais se comunicam e produzem impulsos elétricos, o que nos permite agir e responder ao meio ambiente. Sendo assim, eu imagino que, dentro da nossa cabecinha interrompida, haja um alerta vermelho e sonoro indicando "pessoa sujeita a interrupções imprevisíveis". Daí uma válvula de emergência é constantemente acionada para que a gente responda de pronto ao joguinho do "pensa rápido!". Se a gente não ficar um pouco biruta, ganha em rapidez e esperteza.

É claro que a gente precisa dar um "chega pra lá" no filho de vez em quando, ensinar-lhe as regras da boa educação, todo dia, toda hora até o blá-blá-blá surtir efeito. Não se desespere. Eu também não trocaria aquele cheirinho perfumado aos meus pés nem por bilhões de moedas de ouro.

pelos filhos a gente aguenta o tranco

Havia um mistério em torno daquele sono iniciado às 19h e interrompido quase sempre à uma, depois às duas, e depois não sei mais a que horas da madrugada. A caçulinha acordando às 5h30 e te deixando exausta é uma saga. Precisava de uma explicação.

A mãe olha duas perninhas pequenas e pensa "não é possível tanta muriçoca na escola", e deixa ordens expressas para passarem repelente na criança, nas duas aliás, "não esqueça, por favor". Comenta inclusive na reunião da escola, "mas que tanto mosquito tem aqui, gente" e amaldiçoa mentalmente cada espécie que persegue sua filha, deixando uma trilha de calombos cada vez maiores e inchados, "típicos de muriçoca", a pediatra te explica. Você levanta de madrugada com a criança reclamando que está doendo, enquanto a mais velha dorme, aí faz massagem com o gel contra picadas de insetos a criança relaxa e volta a dormir; como ela havia combinado, até o sol raiar. E por que, meu Deus, o sol raia antes das seis da manhã? Você pede para a criança não levar essa promessa tão ao pé da letra porque mamãe e papai estão cansados e precisam dormir. "Entendeu?", "Entendi", ela diz. Mas cadê o pé da letra?

A rotina de acordar 5h30, de massagear o calombo, de amaldiçoar os mosquitos e de passar repelente continua. Você chega em casa do trabalho, pega a filha acordada ainda, brinca, cuida, bota pra dormir e lembra que é preciso contar as picadas para ver se tem alguma nova. Essa estratégia revelaria, na manhã seguinte, a presença de mais picadas, e só então cai a ficha: ela dorme com o inimigo! Os mosquitos estão aqui, em nosso lar. Vamos caçá-los a qualquer preço!

No dia seguinte, sua auxiliar telefona exultante, te tira da reunião e conta ter assassinado quatro mosquitos gordos de sangue, o DNA da sua filha, dormindo pacíficos em cima do armário, só esperando a noite chegar, malditos, para dar o bote. Você sorri com gosto de sangue na boca, pensando: "Estão mortos, liquidados, está tudo resolvido, hoje finalmente eu vou dormir, nós vamos dormir." Você quase grita isso no meio da reunião. Marido e mulher comemoram assim que se encontram à noite em casa: o enterro dos mosquistos. Só faltou brindar. Doce prazer o do descanso antecipado, depois de tantas madrugadas interrompidas, tantas que nem se lembram mais. Vão se deitar, exaustos e felizes; tão relaxados que se esquecem da fralda...

De madrugada, lá está ela de novo! A criança em pé ao lado da cama, chateada porque molhou o pijama. Ela avisa, mas você nega: "Não, bebê, você está sonhando, volta pra caminha, por favor", você diz, rouca. "Naum tô NAUUUMMM", ela grita. Aí pai levanta; mãe não consegue mais se mexer de tanto cansaço acumulado. E de lá pai conta que é verdade, "está tudo molhado, vem ajudar". Você tem pesadelo com o colchão molhado, porque só pode ser mentira isso, ter que levantar de novo mesmo com o mosquito morto. "Gente, o mosquito morreu, para de brincar comigo", você tem vontade de dizer, mas você vai lá e pega a filha, que fica resmungando sem parar uma ladainha sem sentido enquanto o pai arruma a cama e você limpa o bumbum dela em pé no banheiro escuro para não assustar o sono tão delicado. "Chega, filha, shhh, shhh... Está tudo bem, foi um acidente", e a filha finge chorar, até que de repente ela para e te conta sorridente que "zelo vila água". Você concorda, como concordaria com qualquer coisa àquela altura, mas "quem te ensinou isso, sobre gelo virar água?", você quer saber. Ela ri e responde misteriosa "ninguém", e com a cama limpa e tudo arrumado ela volta a dormir. Mas você, que tem uma viagem de ida e volta a Brasília no dia seguinte, não consegue mais pregar o olho.

A hora está passando e você se pergunta, arrependida, "por que não dormir em Brasília?", isso será muito cansativo, ainda mais carregando junto a filha mais velha para um passeio tão bate e volta. E a insônia chega insolente a reboque das suas preocupações, tomando conta da sua mente tagarela, e você sente raiva: "Isso lá é dia para dormir mal com mosquitos já mortos e lençóis trocados?". Quando você cai no sono, o dia amanhece, e a criança aparece molhada de novo. "Como assim de novo se ela acabou de fazer xixi?". Vocês não colocaram a fralda porque pensaram "agora que já fez, não vai fazer de novo", mas fez. Aí é tarde, você tem que levantar de vez, trocar tudo de novo e se trocar para viajar.

No fim daquele dia, o voo de retorno ao Rio atrasa muito. Você e a filha mais velha arrumam algo para brincar enquanto esperam no aeroporto, e quando chega em casa, você pensa "quero ser café com leite na brincadeira; vou dormir até meio-dia ou vou pifar" e fica sonhando com a cama, enquanto a filha mais velha enrola, tem fome e pede atenção. Até que na hora de deitar, quando tudo é silêncio, você ouve uma tosse barulhenta no quarto ao lado e põe a mão na testa da filhinha pequena, que dormia.

Um calor irradia da testa dela por todo o seu braço que, como um termômetro, reage com um alerta inequívoco: é febre. Luzes e alarmes disparam na sua cabeça, uma febre que sobe rápido e que não aparecia havia tanto tempo que você não sabe nem quantas gotinhas dar do remédio. Caramba! E dá de procurar bula, fazer compressa e botar mão na testa de novo.

A essa altura, há uma descarga de adrenalina circulando pelo seu corpo e pela casa, deixando pai e mãe alertas, e afugentando o tal do cansaço até a febre baixar, a criança suar e você encarar aquela garotinha mole e indefesa, segurar naqueles dedinhos pequenos e frágeis, ávidos por seus cuidados. Quando ela dorme um pouco mais fresca, você finalmente começa a relaxar, o cansaço volta, você tira um cochilo rápido, levanta, tira outro, levanta para checar a febre, dorme só mais um pouquinho de nada, revezando com o marido, até que, na manhã seguinte, mesmo debilitada, a garotinha continua acordando cedo e te chamando sorridente, e pedindo teu colo; se recusa a comer, mas bebe água, e é uma alegria danada porque bebe água. E tem gente que se pergunta como é que a gente, pai e mãe, aguenta, não é? Eu respondo: “Aguenta sim, aguenta... Sabe o amor? Pois é.”

a pior mãe do mundo

Eu me tornei a pior mãe do mundo quando minha filha mais velha fez 7 anos. Era um domingo de sol e estávamos na piscina. Um dia fora de suspeitas. Na primeira vez em que se ouve uma frase assim, as palavras descem goela abaixo, como torrada seca, sem água. Quase entalei.

Sabe como me tornei a pior mãe do mundo?

A menina esqueceu o combinado. Ficou surda boiando na piscina enquanto eu implorava para ela sair. Precisávamos providenciar o almoço, para que as crianças não ficassem com fome e pudessem retornar à piscina mais tarde. Nada.

Lá fui eu recorrer à estratégia fácil de ameaçá-la.

– Sem *Carrossel* hoje, tá? – sem êxito, fui além. – Não vai voltar à piscina hoje.

Talvez já aceitando o castigo inevitável, ela resolveu continuar estendendo o mergulho até eu chegar ao máximo da minha crueldade.

– Vai ficar sem *Carrossel* a semana toda!

– Não!!!

Foi então que ela me lançou aquele olhar de raiva e soltou pausadamente seu diagnóstico a meu respeito:

– Você é a pior mãe do mundo!

Olhei ao redor para ter certeza de que ela se dirigia a mim.

Podia ser engano, afinal, eu sou tão legal! Havia outras mães na piscina. Mas era eu mesma. A própria.

Recuperada e sem ressentimentos, reflito. Você sabe como pensa e age a pior mãe do mundo?

Ela não bate, pois tem horror a palmadas. Considera qualquer agressão uma covardia. E quando é agredida verbalmente, fica magoada.

A pior mãe do mundo deseja que os filhos mantenham a palavra e os obriga a pensar sobre o que estão fazendo. Ela é muito insistente, embora tenha muitas dúvidas sobre a melhor maneira de fazer isso. A pior mãe do mundo ainda não está convencida sobre a tática ideal.

Há quem defenda a recompensa no lugar da punição. Premiar a boa atitude seria o antídoto para não banalizar o castigo. Você estaria enfatizando o bom comportamento em vez do mau, além de ensinar o seu filho a obedecer e seguir regras. Só não faça isso com presentes, alertam os defensores desta tática. Não saia comprando o bom comportamento do seu filho. É sério. Recompense-o de outra forma.

A pior mãe do mundo acredita que a principal compensação para o esforço é o aprendizado. Provas, vestibulares e exames de seleção foram inventados para propiciar o início de certas carreiras, não para dar uma ajuda extra ao comércio de bens e serviços. Nossa grande recompensa na vida é satisfação e independência. "Onde foram parar esses conceitos?", se pergunta a pior mãe do mundo. Ela aprendeu desde muito cedo que a realização de sonhos inclui o caminho trilhado.

Talvez por esse motivo ela não confie no sistema de trocas, embora faça uso dele de vez em quando, como naquele dia na piscina. Ainda que o escambo não seja material, a mensagem implícita das promessas e dos castigos é "eu só ajo certo quando ganho alguma coisa, ou quando sou ameaçado". Que lição passaremos para nossos filhos ao ensinar-lhes que a vida segue este padrão? Pode ser que não haja recompensas no final. Quem vive em função de uma linha de chegada não curte a caminhada.

A pior mãe do mundo é, antes de tudo, uma chata, porque chama à reflexão. Pouco a pouco, a pior mãe do mundo vai introduzindo situações de vida para mostrar por que devemos seguir regras, manter a palavra e colaborar. E que nem sempre isso tem que fazer parte de um sistema de recompensas. Insistir nessa tecla faz da gente os piores pais do mundo, porque uma criança não enxerga a vida com olhos mais experientes como os nossos.

Você se torna o pior do mundo quando assume o risco e a responsabilidade de decidir pelo seu filho enquanto ele não tem discernimento suficiente para pensar a própria vida, mas possui vontade o bastante para te contestar.

A pior mãe do mundo não pensa nem na hipótese de impor como punição a própria ausência, porque ela acredita que momentos a sós ou na companhia somente do marido é um direito para o equilíbrio de todos da família, e não um castigo para os filhos.

A pior mãe do mundo perde a paciência, mas se obriga a ter criatividade e presença de espírito. E sofre quando não consegue ter nada disso.

Não temos o poder de impedir acessos de raiva infantis nem de contornar a chateação pós-bronca – aquele desconforto que se espalha pela família, azedando os humores, como a ação do tempo oxidando o vinho por tantos anos envelhecido em barril de carvalho.

Se eu não fosse a pior mãe do mundo, talvez soubesse a fórmula para não perder minhas notas de baunilha e meu aroma de groselha de vinho preservado. Porque, na hora da bronca, somos todos vinagre.

O castigo do dia da piscina foi revisto porque eu errei na dose. Decretar uma semana inteira sem *Carrossel* justamente quando eu voltaria a trabalhar foi um erro estratégico. Chego cansada da rua e ela adora assistir à novelinha comigo. A gente troca impressões e conversa a respeito. Eu tenho a chance de conhecer mais a fundo o mundo e a arte que despertam seu encantamento, e ela de saber o que eu penso também. É uma ótima alternativa para noites de fadiga.

Eu errei também ao vetar a piscina, porque seria um castigo para mim e para a família toda, nos separando justo no último dia das minhas férias. Sem falar que privar criança de exercício físico é um equívoco crasso, que pode resultar em noites animadas de gente pequena pouco disposta a dormir. Crianças dão um jeito de contornar a adversidade com alegria, e esse é um mérito desconcertante para quem aposta na teoria do castigo – estratégia que supõe algum sofrimento.

As crianças lá de casa apagam os reveses da mente. É muito bom que a criança tenha essa capacidade de se desvencilhar da emoção ruim, mas a pior mãe do mundo se sente encurralada às vezes em busca de uma saída criativa para lidar com a desobediência – artigo que, mais cedo ou mais tarde, aparecerá na sua residência também.

Depois a menina voltou atrás. Disse que falou da boca para fora, mas a realidade é que minha filha mais velha já entrou na segunda infância, fase em que a demanda enfraquece, mas o questionamento aumenta. Defende suas opiniões, tem senso crítico apurado e me enfrenta.

No fundo, sinto um tremendo orgulho dessas reações que tanto complicam minha vida. Numa bela manhã, a caçula, ainda com 4 anos e meio, se recusava a prender os cabelos para ir à escola e me veio com essa: "Eu já fiz muita coisa que não queria hoje." Soube assim, de repente, que ela tinha uma espécie de cota diária de obediência e que caberia a mim saber lidar com essa filosofia de vida (que faz todo o sentido para todo mundo).

Pais não devem esperar só elogios dos filhos. É duro e dói. Nós vamos contrariá-los, porque só há prazer dentro de certos limites. Soltos e sem freio, eles se perderão deles mesmos e de nós. Diremos mais "nãos" do que gostaríamos. Perceberemos no dia a dia que convencer é uma arte, mas educar é uma missão. Os filhos não vão concordar com nossos métodos, sejam eles quais forem. E muitos estarão dispostos a nos questionar. Ainda bem.

Mas é difícil, viu. Pelo sim, pelo não, guardo bilhetes e desenhos em que apareço de pernas finas, vestido triângulo, sorriso margarina, e sou a mais linda que existe. Desenhos são eternos; palavras atiradas ao vento, não.

concessões absurdas

Mais cedo ou mais tarde, você vai autorizar seu filho a fazer coisas impublicáveis. Em nome da comodidade, com a desculpa do cansaço ou da falta de saco, você cometerá desatinos.

Era tarde, a família em viagem dormia no mesmo quarto. As crianças custaram a relaxar. É muito excitante dividir quarto com os pais. Pediram tudo e mais um pouco já deitadas na cama. A mais velha foi a primeira a capotar, já a outra, de 4 anos, não parava de falar e a mãe não aguentava mais levantar. Até que restaram a menina e a mãe acordadas no escuro do quarto.

– Mamãe?

– Oi.

– Quero tirar meleca.

– Tá autorizada.

– Mas mamãe, tem muita.

– Joga longe da cama. Não vou mais levantar.

Silêncio.

– Mamãeee?

– Oiiii...

– Está grudando no dedo.

– Faz uma bolinha até ela desgrudar do dedo e se livra dela.

Silêncio.

– Mamãe? Eu já fiz muita bolinha.

– Ótimo, pode dormir agora. Boa noite. E se você disser que eu mandei você fazer isso, nego até a morte.

a árvore sem noção

Cansada, eu caminhava pela rua e me perguntava o que eu estava fazendo de errado para minhas filhas sempre dormirem tarde. Mais: por que terminavam um dia feliz, repleto de brincadeiras com papai e mamãe, chorando? Pior: por que nunca entendem que precisam me ajudar e facilitar minha vida quando tudo o mais está complicado? Não existe contentamento numa família com crianças pequenas?

Eu tinha saído de casa irritada e fui alimentando minha irritação com culpa e frustração, sentimentos típicos de quem está sempre se cobrando – com ou sem razão. No fundo, eu não queria respostas. Queria sentir pena de mim mesma. O cansaço é a rajada de vento quente na cara num dia de muito calor. Torna tudo insuportável. O cansaço é o diabinho pousado no ombro, tridente em punho, soprando mau humor ao pé do ouvido. Sob sua má influência, reajo mais irritada do que o normal, mais egoísta do que deveria, mais chata do que sonharia ser.

Pensamentos irritados são elaborados por um corpo em frangalhos. O meu. “Se alguém resolver ficar acordada, vou dar uma de louca e jogar fora metade dos brinquedos”, pensei. Ou quem sabe eu me interne numa clínica para fazer sonoterapia por uma semana. Posso também ameaçar com a contratação de uma babá para ficar no meu lugar, enquanto faço as unhas. O diabinho estava se divertindo com minha fraqueza. Felizmente, o trajeto era curto e minha penca de reclamações cessou quando a filha mais velha pulou para o meu abraço sem a concorrência da irmã menor, que dormia. Ficou me seguindo como um filhote fascinado pelas rodas do carro – girando ao meu redor e quase tropeçando em mim e no próprio falatório –, enquanto eu seguia para o banheiro, louca por um banho. Ela tinha muitos planos e todos me incluíam. Brincar, falar, lanchar...

– Que tal você escolher um livro para a gente ler depois que eu tomar banho? – sugeri à minha garotinha, já sob influência do anjinho de asas brancas e alo dourado que pousara no lado bom da minha consciência.

Debaixo do chuveiro, o anjo fez sua parte. Despachou o mau humor pelo ralo, suspendeu os sintomas do cansaço e me lembrou de que crianças são a natureza em seu estado bruto. Ventam e trovejam, mas iluminam o dia, fazem florescer nossos corações.

Ao sair do banho, vi Letícia deitada de bruços na minha cama, cotovelos apoiados, pernas dobradas e pés para o alto. Ela me olhou, desviando os olhos do livro, e avisou:

– Este eu quero ler.

O livro escolhido foi *A árvore generosa*, de Shel Silverstein – um poeta americano dos anos 1960, cujos contos infantis venderam mais de 20 milhões de cópias no mundo. Narra a história de um menino e uma árvore que se amam. O menino sobe nos galhos, se balança e come as maçãs, mas à medida que cresce, suas visitas à árvore se tornam esporádicas. A cada volta ao local onde a árvore fica, o menino está maior e vai ganhando da árvore uma ajuda para seu sustento; por exemplo, a madeira para vender. A árvore sofre com o abandono, mas se mostra sempre disposta a ajudá-lo. Ela fica feliz assim.

Letícia já estava na parte em que a árvore ia entregar o tronco inteiro ao menino que, àquela altura da história, era um senhor.

Seguiu assim a narrativa infantil, um tanto atrapalhada:

– Corte meu tronco e faça seu ber... seu barco, a árvore disse. Viaje pra lan... lon-ge é... E seja feliz. A árvore mandou o menino cortar o tronco dela! Ela vai morreeeeer! – Ela me olhou com a boca aberta de espanto. – O menino cortou o tronco, fez um barco é... e viajou. E a árvore ficou feliz, mas não muito – ela continuou a leitura.

Diante do tronco seco, preso à terra pelas raízes, minha filha olhou para mim com cara de tristeza.

– Mãe, não sobrou nada...

Muito tempo depois, o menino volta para a árvore, mas a figura no livro mostra um velhinho frágil. A árvore pede desculpas por não ter mais nada a oferecer: sombra, maçãs, galhos e tronco. O velho diz que não tem mais dentes para morder maçãs, nem idade para se balançar, nem disposição para subir nos galhos. Ele está apenas cansado, e a árvore oferece o tronco cortado para ele sentar. O menino sentou, e a árvore ficou feliz. Pergunto o que ela achou da história.

– A árvore deu tudo – disse um tanto incrédula.

– Por quê? – eu pergunto a ela.

– Porque ela amava muito aquele menino.

Fiz cara de quem ouviu a melhor resposta do mundo. Ela voltou a folhear o livro muito interessada no que acabara de ler, e falou em voz alta alguns trechos, enquanto uma reação química me alterava por dentro. Eu ainda pensava na moral da história quando a criança, um pouco desconfiada, mostrou que a lição não acabara ali.

– Mamãe, eu acho que essa árvore não tinha noção!

Satisfeita por ter me feito gargalhar, a garotinha não disse mais nada e ficou olhando para mim à espera de algo mais, como sempre faz.

Depois que a menina dormiu, e eu ainda me perguntava por que meu contentamento se dissipa com o cansaço. Parei na porta do quarto para observar as duas crianças dormindo. Ninguém jamais nos amará tanto quanto nossos filhos pequenos. Eles são a fonte do verdadeiro amor incondicional. Estou tão certa disso que, até quando estou reclamando, eu me sinto muito feliz, como a árvore sem noção, generosa e cansada.

Estou no carro conversando com Eduardo sobre o que a gente aprende com a criança: não guardar raiva, esquecer o que nos chateou. Aí viro para trás e vejo Carol dormindo, Letícia absorta olhando pela janela.

– Você ouviu nossa conversa, Letícia? Você me ensina muita coisa, sabia disso?

Ela sorri engraçado e pergunta:

– Tipo jogar Candy Crush?

– tirem os sapatos, os uniformes,
guardem as coisas, vamos para o banho.

– você tá tão mandão...

Carol, aos 3 anos, para o pai

parte 2

Estes pais engraçados, divertidos,
mandões, tão chatos...

histórias dele

Lá em casa é assim: eu sou das letrinhas escritas e o pai, das narrativas empolgantes e inventadas na hora de dormir. Por isso, nem ligo quando nossa menina pede, quase em protesto: "Eu quero que o PA-PAI conte história." Os contos dele são muito melhores.

Vêm dele enredos mirabolantes que misturam animais tagarelas, princesas que fazem muita porcaria e histórias que poderiam ser filmadas pelo produtor de *Harry Potter* – claro, se não pegar mal tanta referência incidental a outros filmes e um ou outro plágio de nomes da mitologia e da literatura inglesa, por exemplo. A minha criatividade, quando estou sem jantar ou com sono, fica muito comprometida. A dele, nunca.

Foi dessas misturas – especialidades do papai – que surgiu uma das histórias preferidas de Letícia.

A princesa Ariadne foi sequestrada pelo bruxo Tandor e levada para um castelo encantado que, a cada manhã, aparecia num lugar diferente. O príncipe Alkazar, com quem Ariadne estava prestes a se casar, decidiu resgatá-la, mas antes foi pedir ajuda ao rei Macbeth e à Rainha do Algodão Doce, pais de Ariadne.

– Rainha do Algodão Doce? – perguntei, confusa.

– Esse nome foi ela que deu – meu marido explicou, sussurrando. Continuando, o rei Macbeth estava desesperado. Não sabia o que fazer, mas colocou à disposição do príncipe o sábio Quíron, que trabalhava para o rei e tudo sabia. Quíron contou que só a fada da Montanha de Cristal poderia dizer onde o castelo de Tandor amanheceria no dia seguinte. O problema é que a fada morava muito longe dali. Era preciso viajar dias e noites por uma floresta escura e perigosa. O príncipe, destemido e corajoso, não se intimidou e foi, acompanhado de um pequeno exército.

Ao fim de uma longa jornada, Alkazar e sua tropa chegaram ao sopé da montanha, mas foram atacados pelo guardião da fada, o dragão Smeagel. Alkazar lutou bravamente e com sua espada acabou ferindo a asa do dragão. Quando enfim o príncipe explicou que não estava ali para atacar a fada, mas para pedir sua ajuda, o dragão pediu desculpas pela confusão. Alkazar botou um médico da tropa para cuidar do monstro ferido e subiu, a pé, até o Castelo de Cristal, onde foi recebido pela fada. A bondosa e poderosa fada sabia onde o castelo estaria no dia seguinte, verdade, mas só poderia revelar essa localização uma única vez. Alkazar concordou e, para seu desespero, soube que o castelo apareceria muito, muito longe dali. Alkazar levaria dias para chegar e, quando chegasse, não encontraria mais o castelo nem a princesa.

Smeagel, já recuperado, quando viu o príncipe tão triste, perguntou o que estava acontecendo e se ofereceu para levá-lo até lá. Voando eles chegariam a tempo. O plano deu certo. Eles viajaram a noite toda e surpreenderam Tandor, e sua mulher, a bruxa Elfaba, que foram destruídos. Sem a magia maligna do casal do mal, o castelo encantado começou a ruir, mas Ariadne e Alkazar fugiram de lá nas costas do dragão Smeagel. E foram felizes para sempre.

Claro que ao fim dessa longa e incrível história cheia de detalhes, onomatopeias e interpretações que não reproduzo aqui, já passam das dez da noite, estou esperando o marido para jantar e a filha pede “conta de nooovo?”.

– Não, chega. Agora eu vou jantar e você vai dormir.

– Ah, papai, por favor, por favor, por favor. Então conta uma história curtinha, vai. Só não vale a da vaca Vitória!

– Então vou contar uma história de terror.

– Ah, nããão...

– Vou sim. Uma história que vai dar muito medo.

– Ah, nããão... Assim eu não quero, papai – ela diz, miando, como fazem as crianças de 4 anos contrariadas.

– Vou contar, nem adianta protestar. Era uma vez (pausa de mistério) um coelhinho branquinho muito fofinho.

A criança cai na gargalhada.

– Tá rindo de quê? Esse coelhinho era malvado à beça!!!

Ela continua rindo de se escangalhar.

– Então vou contar outra já que você está rindo – diz o pai, sério.

Ela para de rir e aguarda, com a tensão crédula das crianças.

– Não quero história de terror...

– É a história de um bruxo muito malvado.

– Nããããão... Pa-paiiiiiiii...

O pai tapa o nariz, faz uma voz fina e diz:

– Oi! Eu sou o bruxo Bolinha!

Achei que a criança fosse ter um treco de tanto rir. A história improvisada segue:

– O bruxo disse isso se aproximando de uma menina. Mas a menina disse "O quê? Bruxo Galinha?". "Bolinhaaaaaaaaaa", respondeu o bruxo.

Papai ainda com o nariz tapado, continua.

– "Bruxo na linha?", perguntou a menina. "Bo-li-nha", respondeu o bruxo, impaciente. "Aquela coisa redondinha, diminutivo de bola." A menina não entendia – e a filha ria, e ria – e o bruxo continuava "eu sou terrível!". "Ah, você não é tão horrível assim", disse a menina. "Ter-rí-vel. Eu sou mau, muito mau." Mas a menina não entendeu o que ele dizia. O bruxo

Bolinha foi ficando revoltado, triste e chorou, porque ninguém entendia o nome dele.

Quando a escuridão do quarto mais parecia um palco iluminado de gargalhadas infantis e nossa Princesa Alegria ameaçava nunca mais dormir, o pai volta a si – lembra que o objetivo era fazê-la relaxar – e encerra a brincadeira.

Aí, invariavelmente, eu entro no circuito, faço uma massagem nela e canto uma música calminha para reduzir a animação. Às onze da noite.

Isso não acontece sempre, mas é por essas e outras que eu não consigo dormir cedo. Só quando o pai viaja a trabalho. Nesse caso, eu prefiro mil vezes ficar cansada.

álbum de figurinhas

Cheguei em casa naquele dia esfuziante para apresentar à Letícia, então com 3 anos, seu primeiro álbum de figurinhas. A reação dela ficou um pouco abaixo da minha expectativa. O verdadeiro túnel do tempo se abriu para meu marido. Passou a comprar tantos pacotinhos, que a criança, cansada, desistia de abri-los. A coleção não vingou.

Pouco tempo depois, o pai chegou em casa com o álbum das princesas da Disney. Golpe baixo o dele; mas fazer o quê? Letícia amou.

O ímpeto do meu marido para comprar mais figurinhas era alimentado por uma criança ávida por pacotinhos novos. A coleção cresceu a ponto de comprar um segundo álbum para desovar as figurinhas repetidas. "É para Carolina", ele dizia, se referindo ao bebê na minha barriga. Sei...

Eu chegava em casa e flagrava pai e filha colando figurinhas. Pai anotando os números que saíram, torcendo ao lado dela por cromos inéditos, e Letícia correndo para me mostrar, eufórica, uma página completa. A cena revirava minhas memórias remotas dos domingos de bicicleta e cromos coloridos. "Olha mamãe, olha essa que linda!".

– Você comprou mais figurinhas para ela? – eu perguntava, com um ar que oscilava da censura à galhofa.

– Só um pouquinho – ele respondia, omitindo os verdadeiros números por trás da brincadeira.

Primeiro eu parei de comprar porque achava um exagero pai e mãe concorrendo pra ver quem trazia mais figurinhas para casa. Depois tomei meu lugar na arquibancada para assistir ao show. Aquela intimidade de pai e filha em torno do álbum tinha se tornado um divertido ritual de interação pouco antes de Carolina chegar. Mesmo adorando a brincadeira, eu me tornara uma torcedora apaixonada e fanática em observá-los, mas acabava convidada para a farra.

– Mamãe, você quer colar também?

– Sim, claro.

E ela me entregava feliz a mais bonitinha das figurinhas.

Até que um dia, já com o álbum quase completo, Letícia abriu um monte de pacotinhos e encontrou pouquíssimas repetidas.

– Mamãe, olha só que sorte, que sorte!!!!

– É mesmo, não é? Que sorte – respondi, enquanto inquiria meu marido com o olhar desconfiado. Ele fingiu que não era com ele.

Mais tarde...

– O que você fez?

– Fiz o quê?

– Com os pacotinhos.

– Nada.

Silêncio. Insisti. E ele confessou.

– Eu violei os pacotinhos – disse, num murmúrio.

Quando me recuperei das gargalhadas, tentei falar sério.

– Você não pode fazer isso.

– Mas eu deixei algumas repetidas para ela não notar. Se não fica chato.

– Mas a frustração faz parte da coleção.

– Ela não tem com quem trocar as repetidas. As amiguinhas não colecionam.

– Guarda para o álbum da Carolina.

– A Carol ainda não nasceu!

– Mas você já comprou um álbum para ela, ué!

– Ah...

– Ela tem que saber que o final do álbum é difícil mesmo. E você não pode ficar protegendo sua filha assim.

– Ah, peraí... Tá bom, vou deixar mais figurinhas repetidas.

Dois anos depois dessa cena, eu chegava do trabalho quando Letícia me abordou, saltitante como sempre, e eufórica com o álbum das fadas. "Papai me deu!".

Agora, todas as noites, pai e filha estão debruçados sobre o álbum das fadas. Contam juntos os espaços vazios e preenchidos, um corrige o outro na hora de colar certinho, enquanto, juntos também, defendem o livro ilustrado das garras da irmã que tenta, literalmente, tirar uma lasquinha. Com a boca.

Eu já colei várias figurinhas, mas resolvi assumir meu lugar na torcida organizada. Afinal, quem está em campo é meu time favorito. Com alguns pacotinhos violados.

electra, o mito procede

A filha diz desde os 3 anos que vai casar com o pai. Assim poderá sair junto com a gente o tempo todo. Uma vez tentei convencê-la sobre a ideia de se casar com outra pessoa.

– Com quem ENTÃO? – perguntou, brava.

– Com o seu namorado, ué.

– Mas COMO eu vou encontrar um namorado igual ao meu pai!? Eu quero o meu PAI! – disse.

– É difícil, mas a gente pode procurar.

Até que outro dia, do alto de seus 4 anos e 4 meses, Letícia chegou a outra conclusão:

– Mamãe, tava aqui pensando no meu casamento – ela disse.

– Oi?

– Tava pensando no meu vestido de noiva...

– O que mais você estava pensando sobre seu casamento?

– Não vou mais casar com o papai...

– Aaahh... Por que você desistiu de se casar com o seu pai?

– Porque tem tanta gente lindinha por aí... – ela diz, escondendo as mãos para trás.

Não lembro de ter dito tal coisa para ela; ainda cismo que tudo que ela diz é reprodução do nosso discurso.

– É verdade. Eu te disse um dia que você encontraria alguém legal.

– Eu vou precisar pegar um vestido de noiva emprestado porque você deu o seu, não é?

– Que tal a gente mandar fazer um do seu tamanho?

– Ótima ideia.

Feliz com os planos, ela foi dormir.

A reação do pai:

– Sério!? Ela desistiu de mim?

Silêncio.

– Acho que vou falar com ela...

Silêncio com espanto.

– Tá bom, eu deixo para lá.

experimente sair de cena

Certa vez viajei com a filha mais velha para um bate e volta de fim de semana ao Rio. Como a correria era grande, e o preço alto, então meu marido ficou em Brasília com a menorzinha, ainda muito bebê para tamanha confusão.

Quando voltei, trocamos nossas impressões.

Eu comecei tecendo mil elogios à Letícia. Do alto dos seus 5 anos, é uma ótima companhia para viajar. Aguardou no assento quando precisei usar o banheiro do avião, odebeceu, brincou, não deu piti. Uma graça em todas as circunstâncias.

Ele também rasgou seda com a pequena de 1 ano. Ficou tranquila, não resistiu ao sono, comeu tudo, não fez muita besteira.

– Separadas ficam menos agitadas.

– É, pois é, mas prefiro as duas juntas.

– Com certeza.

O resultado mais interessante dessa recente experiência foi pegar meu marido me dizendo, depois, o que fazer com a pequena: do que ela gosta mais, como é melhor colocá-la para dormir etc.

Botei minha melhor expressão de interesse e atenção na cara para esconder a vontade de rir e dizer "ora, ora, se isso não é o início da alforria da minha provável carreira de megera". Sim, porque se eu deixo de ser a principal emissora de orientações e regras, fica claro que somos um time e que podemos nos revezar no papel do técnico nervoso gesticulando do lado de fora do campo – aos gritos, praguejando, para ver se os jogadores se mantêm fiéis aos planos traçados em tantos treinos –, um papel correntemente incorporado pelas mulheres quando o time é a família. Eu sei da existência de honrosas excessões, mas essa nossa tendência de ser multitarefa... Sei não. Aí ficam eles, os homens – esses seres maravilhosos, parceiros, namorados e maridos, pais dos nossos filhos –, esperando uma chance para agir e nos livrar da pecha de megera. *Voilà*!

Gostei tanto do resultado que resolvi ficar uma semana fora. Deixei as meninas inteiramente sob os cuidados dele. Quando voltei, encontrei o marido orientando babá, determinando horários, e as crianças inseridas em uma interessante rotina. Carol já não protestava tanto para dormir. Letícia abandonou a ideia fixa de pedir para ver um filme e topou montar quebra-cabeças de 500 peças com o pai: um sonífero poderoso, aliás.

Meu marido, pessoa que vem me ensinando todas as aplicações práticas da palavra generosidade, estava orgulhoso também de si mesmo. Não foi apenas uma questão de dar conta de tudo, porque é óbvio que ele daria. Criou-se uma oportunidade real para ele aprimorar as próprias técnicas de lidar com as filhas sem (a minha) interferência.

Ele tratou ainda de aplacar minha culpa por estar fora. A não ser pelas unhas grandes das meninas, ele foi perfeito! A unha das crianças, aquela unha enorme da Letícia... Deixa pra lá. Claro que o verdadeiro motivo da minha ausência foi um compromisso profissional. Se não fosse essa a causa, eu jamais sairia de cena espontaneamente por tanto tempo, porque isso me custa lágrimas no avião e aperto no coração; mas isso é outra história.

O que eu queria dizer era o seguinte: uma ausência temporária da mulher pode ser muito benéfica para o pai aprimorar o próprio papel, e faz bem para o casal. Mesmo que as unhas estejam enormes na sua volta.

hora do banho com o pai

Anda, Letícia. Já passou meleca de bode no cabelo? Letícia, ajuda sua irmã; tem sabão no olho dela. Ajuda, filha! Carol, não precisa gritar. Assim até a água vai embora. Carol, Caro-ol, larga isso, minha filha. Carol, Carol? Carol? Carol? Carol, você vai querer meleca de bode no cabelo também? Tá bom, vou passar meleca de bode em você. Carol, se você não largar isso, vou tirar de você. Letícia, assim não! Carol, para de gritar? Só um instantinho. Agora pega o sabão. PEGA-O-SA-BÃO, por favor? Vocês estão me molhando. Carol, não é para usar o shampoo como se não houvesse amanhã. Atenção! Vai começar a se ensaboar por onde? Pelo bumbum? Iiiiisso. Agora a perninha, agora a barriguinha, agora o bracinho, agora a mãozinha. Sabão, sabão, sabão… Lelê, você se ensaboou bem? Tudinho? Olha… Isso, atenção. Liga a água aí, filha, por favor. O quê? Não entendi. Vamos lá, vamos lá, tirar o sabão. Vou escovar meus dentes. Ei, não precisa gritar! Letícia, para, para; deixa ela botar. Atenção, vamos parar de berrar? Deixa que eu boto. Desliga a água, Letícia. Carol, você vai sair agora tá? Vem aqui para eu tirar você. Lê, não é assim... Coisa chata, gente. Miando o tempo todo! Vem, Carolitaaaa, vem… Vem,vem... VEM!

combine com ele

Muitas mulheres não escondem o orgulho em anotar no álbum de lembranças do filho que a primeira palavrinha dita por ele, ainda bebê, foi "mamãe"! Não sei qual é a surpresa.

A gente repete isso todo santo dia e o dia todo, durante a licença-maternidade inteira. Continua depois em todos os momentos de contato com o filho e ainda sustenta isso durante um bom período naquela fase em que a gente fala igual ao Pelé.

"Mamãe vai te dar mamá!"

"Mamãe vai te dar um banho!"

"Mamãe te ama tanto!", e diz isso afundando nariz e boca na bochecha do bebê.

"Mamãe vai dormir um pouquinho, e o bebê vai dormir para a mamãe descansar!"

"Mamãe fica tão feliz quando vê esse sorriso..."

"Mamãe precisa trabalhar." Isso para não dizer quando a gente insere o chamado em textos nada a ver, como no meio de uma cantiga: "Boi, boi, boi. Boi da cara preta, pega esse bebê... Num pega nada que a mamãe não deixa, não é, bebê?"

Sem falar no reforço providencial vindo de nossos amados maridos. "Pronto, agora mamãe vai ficar com você", diz, antes de passar o bebê adiante.

Aí a criança cresce, outra nasce, a família aumenta e você percebe, de uma hora para a outra, que tem crianças no seu encalço treinadas para chamar "mamãe" em toda e qualquer ocasião.

O telefone toca, você está na rua e a criança pergunta "mamãe, eu posso ligar a televisão?", com o pai a um metro e meio de distância.

Se forem dois, três ou até quatro filhos, em algum momento da vida te chamarão simultaneamente por motivos distintos e inclusive quando você não puder atender de jeito nenhum, quando estiver ocupada no banheiro, no telefone ou mastigando a primeira garfada da comida fria.

A saída é combinar com ele, o cidadão responsável pela outra metade dos genes do seu filho. Avise ao marido que ele está autorizado a atender a criança quando ela gritar "mamãe, acabei!". Principalmente se ele estiver passando na porta do banheiro no exato momento em que ouvir o chamado. Combine com ele que estão liberadas atividades de buscar a toalha, amarrar o sapato, encontrar um brinquedo, pegar uma colher, fazer suco, vitamina e banana amassada, mesmo que a criança insista em começar a frase com o vocativo "mãe".

Diga para o marido que a criança chama "mamãe" por hábito, influência da TV ou um problema de fala ainda não diagnosticado pelo pediatra, porque, no fundo, ela ficará feliz em ser atendida por qualquer um dos dois. Ela não faz por mal nem demonstra uma predileção incontornável. É só mania. Criança tem um monte de manias.

Eu não sei o que acontece, mas, muitas vezes, a palavra "mamãe" no início da frase prejudica a audição do homem. Se Darwin estivesse vivo, ele faria algum estudo sobre seletividade auditiva, porque esse fenômeno faz com que o pai passe direto pela criança que acabou de pedir água, embora ele estivesse ao lado da geladeira.

O resultado é uma reação em cadeia. A criança chama, o pai não ouve, a mãe responde lá de dentro que não dá. A criança insiste em chamar a mãe, o pai continua não ouvindo, a mãe pede para parar, a criança grita, a mãe grita de volta, e depois grita para o pai limpar. O pai responde irritado que não sabe o que está acontecendo e tudo começou porque uma criança chamou "mamãe". Sugiro que, com o tempo, a criança se acostume a chamar "alguém". É mais democrático e aumenta a chance de ela ser atendida.

pai de menina, esse incompreendido

Ele vigiou como um cão de guarda sua menina sendo levada para o berçário e constatou que, entre tantos bebês iguais, nenhum era como sua filha. Tem as mãos grandes o bastante para segurá-la com uma só enquanto a outra espalha o sabonete delicadamente pelo pequeno corpo. Ele não é o ás dos penteados, mas recorre a uma tiara para enfeitar a filha. O colo do pai é mais alto, mais seguro, e a garupa sobre os ombros, o lugar mais desejado durante um passeio. Ele aprendeu a dar laços em vestidos e se emociona com a música da Tinker Bell. Canta *Let it Go* aos berros durante a viagem. Brinca de escravos de Jó. Inventa parlendas. Já se vestiu de Barney e Papai Noel. Chorou quando o vagalume morreu e foi parar ao lado da estrelinha amada em *A Princesa e o Sapo*. Curte Galinha Pintadinha. Ele não forra a tábua da privada; prefere segurar a filha no alto, a salvo dos germes e da mesmice. Reaprendeu a andar de patins. Conta histórias de fadas que fazem tudo errado. Toma as dores do Lobo Mau, nem sempre é politicamente correto e comprou um álbum extra de princesas para desovar as figurinhas repetidas que passou a colecionar com a filha.

Ele se derrete todo quando a pequena criança dorme em seu peito e não tá nem aí para os manuais que sugerem o berço. Não gosta do momento "com quem será" na festa de aniversário e acha o fim da picada se referirem a ele como "fornecedor": "Nada a ver, pô", costuma dizer. Ele se irrita com garotos violentos, insensíveis à sua menina delicada, e quase explode de orgulho quando ela dá cambalhotas no trepa-trepa e se sustenta pendurada por mais tempo do que muito menino. Detesta guarda-chuva mas foi visto usando um da Minnie na porta da escola. Ele é bravo na hora da bronca, mas a filha é "a flor do seu jardim". Ele ensinou sua menina a subir em árvores, andar a cavalo e a não ter medo de onda. Arrotou pra ela rir e tentou ensinar a besteira depois. As brincadeiras mais emocionantes e violentas são todas dele, e a filha adora. Tem sempre a explicação mais completa e complicada sobre o dia e a noite, as estrelas e os cursos d' água.

Entrou de cabeça no universo feminino. Confuso diante do inesperado processo que transformou sua menina em mulher, acha que 21 anos é uma idade razoável pra começar a namorar. Está sempre pronto para levá-la e buscá-la na festa, mesmo que seja no fim do mundo. Saia curta, para ele, bate no meio do joelho ou muito perto da canela. O dia que ela chorou decepcionada com alguém teve ímpetos de soltar uns palavrões e maldizer o insensível, mas abraçou a filha e ofereceu o seu silêncio. Estará sempre por perto para apoiá-la. Recebeu o primeiro namorado com a cara bastante séria e, solene, perguntou suas intenções. Disse que estava brincando, deu um tapinha no rapaz, mas, no fundo, não estava. Adora a perspectiva de sua menina querer viajar, fazer um intercâmbio talvez. Sempre tem ótimas ideias.

– Podemos ir todos juntos!

– Pai...

– Que foi?

Ele é pai de menina, um incompreendido.

o lado ruim da preferência

De uma hora para a outra, entendi o sentimento de um pai diante da criança que insiste em chamar "mamãe" o tempo todo. A criança que tudo quer com a mamãe não sabe, mas ergue uma pequena barreira a ser transposta pelo pai. Para uns, o obstáculo parece intransponível, evidenciando supostos e inadequados comportamentos. Para outros, será apenas uma etapa tranquila a encarar com bom humor, afinal, há uma fase inevitável na vida da criança em que mamãe é quase tudo – motivos fisiológicos e psicológicos para isso existe. E tem outros ainda que aproveitarão a deixa para ensaiar uma saída estratégica intencional, mas deixa isso pra lá.

Nessa história de criança pedindo mamãe o tempo todo, o pai tem que ter amor, paciência e inteligência para superar o desconforto sem melindres. Não é fácil. Pior ainda se a atitude da mãe acentuar essa barreira, com críticas desnecessárias. A gente erra muito tomando a dianteira no estilo "deixa-que-eu-faço-então". Quem nunca? É preciso ficar atenta, porque – por experiência própria – é esquisito lidar com uma criança pequena que só quer "o outro".

Carol ficou doente no meio das nossas férias na Bahia. Com 1 ano e 7 meses, ela ainda estava na fase de "mamãe é tudo". Estava. Eu andava me ausentando muito de casa por causa do trabalho, deixando as duas meninas sob os cuidados do pai de férias. Perfeito. Eu saía, de certa maneira, tranquila, e eles se viraram muito bem. Aproveitaram para estreitar esse importante laço de amor e cumplicidade sem meu intermédio.

Dias depois da minha volta, viajamos a passeio e ela adoeceu. E resolveu que só queria saber do papai. Fazia bico para mim, emburrada, e me tirava da frente para chegar ao papai. Tudo era "papaiê". Colo? Só do papai. Trocar fralda? "Só deixo o papai." Tomar remédio? "Só se o papai der." Acordou de manhã? "Papaiêêêê..."

No início achei engraçado. Aproveitei para tentar me recuperar da mesma virose que ameaçava me derrubar. Aí foi perdendo a graça e eu fui ficando magoada. Fiquei chateada com a Carol. Ingrata!

– Ah, tá. Peraí, filhinha, que eu vou chamar o papai-tudo--de-bom. Não precisa ficar com a mamãe não.

Meu marido ria, e completava meu texto:

– Fica comigo, não. Só porque eu te carreguei nove meses na barriga, amamentei...

– Nove, quase dez, tá legal? Fora as dores do parto. Mas tudo bem, eu supero isso.

– Você quer parar?!

– Você é legal, você merece. Ela só não precisava me dispensar assim. Ela está sendo insensível comigo.

– Bebel...

Foi uma semana de papai quase tudo, e mamãe nada. Eu me distraía com Letícia, mas estava lá a Carolina me incomodando com a distância entre nós.

Carol enchia a fralda no meio do jantar? Ele não perdia a chance.

– Acho que vocês precisam de um momento só pra vocês duas. Vai lá, vai.

Meu marido tem esse defeito. Ele se acha engraçado.

A criança foi se recuperando do dodói e fazendo as pazes comigo. Chegou a passar do colo dele para o meu espontaneamente. Quase chorei de emoção. Fui aceita de novo na família.

A verdade é que, nesse período, eu me sentia tão desajeitada quanto um pai de fim de semana. Era como se eu não soubesse fazer mais nada com ela: dar comida, trocar fralda. Tudo parecia inadequado, e ele, o jeitoso. Eu, a desajeitada. Ele, o encantador de nenéns.

Quando o equilíbrio se restabeleceu, com papai e mamãe de férias, juntos em casa, fiquei pensando em quanto as mulheres pioram esse sentimento de inadequação que os homens podem sentir. Seja porque passam muito tempo fora, seja porque não foram educados para assumir o papel que lhes cabe nos cuidados diários com os filhos. Digamos que eu saí dessa experiência mais atenta a mim mesma.

os agregados

Eu tenho uma família padrão: casal, dois filhos e alguns agregados que entram e saem de nossas vidas desde o nascimento das meninas. Dois deles, no entanto, ameaçam nos acompanhar por muito e muito tempo ainda, porque, para ser sincera, não consigo imaginar minha vida sem a ajuda inestimável desses personagens.

Primeiro, preciso apresentar Pipa, uma fada-fantoche de voz e personalidade estridentes. Ela adora se gabar dos olhos azuis dizendo que os meus, castanhos, são "tããããão comuns, não é mesmo?". Pipa também tira onda dos seus poderes. "Eu voo sem asas. Essas coisinhas frágeis usadas por Tinker Bell e suas amigas é coisa muito antiiiiiga. A nova geração de fadas, da qual sou a única representante, tem poderes para voar sem asas."

Parte da graça de Pipa é a cara das crianças diante dos absurdos que ela fala. Outra parte está no discurso dirigido a mim, a quem insiste chamar de "jornaliiiiiiista", com ênfase no "i". Não posso reclamar da implicante da Pipa porque, graças a ela, as meninas sabem desde cedo a profissão da mamãe. Tal qual um filme infantil da Pixar, Pipa é cheia de piadas que só um adulto entende. Ela tem uma admiração meio gay por mim.

Pipa é muito, muito barulhenta e nem sempre aparece na hora que eu considero mais adequada, mas para as crianças não existe hora errada. Pipa é divertida e sempre bem-vinda. Apesar de só abrir e fechar boca e braços, essa fantoche é muito expressiva. Quando está com raiva, ela fecha os bracinhos e fica tremendo até explodir, fazendo todos à volta caírem na gargalhada.

Como Pipa é praticamente uma criança, mesmo usando tom de provocação, ela está sempre interessada em saber da gente, o que vamos fazer, se vamos passear e se ela pode ir junto, porque, para ela, família vem em primeiro lugar. Pipa faz graça, mas é didática: ajuda criança distraída a comer, faz criança malcriada parar de chorar. Uma fada perfeita por ser capaz de realizar verdadeiras mágicas.

Eu gostaria que Pipa continuasse aparecendo para mim mesmo quando as crianças estiverem grandes, com suas agendas atribuladas. Crianças conversam com os fantoches e, por isso, lhes concedem alma. Eu prometo dialogar com Pipa relembrando todas essas cenas divertidas.

O pirata Zezé é outro agregado da família, um produto da nossa imaginação coletiva. Não tem boneco nem fantoche para representá-lo. Ele é uma interpretação, puro texto, que ganha corpo e alma na interação com as meninas. Zezé tem voz grossa de pirata malvado, quase gutural, mas sofre de um problema cuja origem está num segredo do seu passado mal explicado. O pirata Zezé não consegue dizer o próprio nome no mesmo tom assustador que usa para tudo. Ao falar "Zezé", a voz afina, e isso afeta diretamente sua credibilidade de malvado e sua autoestima. Essa fragilidade conquistou as crianças, que com ele passaram a exercitar o medo e os princípios de solidariedade, amizade e justiça. Volta e meia elas dão lição de moral no Zezé. "Zezé não tem jeito", explica minha filha mais velha, de 6 anos. "Mas ele é mais legal do que a Pipa", completa.

Zezé prende a menina com janela no sorriso num calabouço feito de almofadas e bagunça a cama toda porque a menina é uma pirata boazinha. Zezé ganhou uma aliada: a pirata Cacá, de quase 3 anos. Cacá também tem voz gutural, em falsete. Eles fazem complôs, entram em batalhas e, geralmente, terminam com o pai verdadeiro da pirata Cacá mandando Zezé para o esgoto, pela descarga, porque Zezé, agora vocês sabem, não tem jeito. Cacá avisa: "Não fui eeeeeeeeeuuuuu... foi o meu paiiiii."

Apesar do pirata Zezé sempre ir embora pelo esgoto, acaba voltando, não se sabe como, para incitar nossa fantasia. E tem hora que é tanta imaginação, mas tanta, que nem a pirata Cacá dá conta de acompanhar.

– Vamos, pirata Cacá, suba no meu navio! – convida Zezé, já em cima da cama.

A piratinha Cacá vai atrás e, em meio a lençóis desarrumados, olha para Zezé à espera de um novo comando.

– Precisamos trocar essa criança por moedas de ouro! – diz Zezé, com um travesseiro na mão.

Pirata Cacá, com sua voz em falsete, sobrancelhas franzidas e um ar muito desconfiado, questiona a ordem:

– Mas isso é um taveselo!

– Imagine que é uma criança, pirata Cacá. Vamos fazer fortuna! – continua Zezé, com uma faixa de cabelo colorida de margarida no lugar do tapa-olho.

Ainda com o semblante contraído no papel de malvada-mirim, a pirata Cacá não se dá por convencida.

– Ali tem um botão, Zezé! É um ta-ve-se-lo!

Naquele dia, o pirata de barco fantasma, bandeira preta e ossos de caveira riu de se acabar caído no colchão, me lembrando por que o protagonista dessa história de encantamento, doçura e malvadeza me conquistou.

mães nem sempre têm razão

Certa manhã, eu e meu marido – ambos ainda com muito sono – resolvemos checar mutuamente como tinha sido a noite.

– Bom dia, dormiu bem? – ele me pergunta.

– Melhor, né. Carol finalmente deixou a gente dormir.

– Mas ela veio aqui.

– Veio? O que você fez? Levou ela de volta?

– Não, ela voltou sozinha para o quarto. Acho... – ele diz, sem muita convicção.

– Você sonhou então.

– Será?

– Ela sempre vem do meu lado da cama. Tem certeza?

– É que ela subiu pelo meu lado.

– E fez o quê?

– Deitou. Depois levantou e foi embora.

– Você estava sonhando. Ela tem vindo tanto aqui que você está condicionado.

– Será?

– Claro – digo, enfática. – Eu não vi nada e ela disse que ia deixar a gente dormir.

– Mas eu tive a impressão...

– Ela cumpriu a promessa. Eu combinei com ela ontem à noite – afirmo, cem por cento certa, sem margem de erro na minha pesquisa interior. Ele continuava com uma expressão de dúvida, quando de repente dá um salto e aponta vitorioso para o pé da nossa cama.

– Arrá!! Olha a prova aqui!

Meus olhos seguiram o dedo em riste e encontraram o ursinho rosa de pano – com o qual Carolina gosta de dormir – sobre o lençol.

– Eu estava certo! – diz ele, vingado.

Filha sempre dá um jeito de salvar o pai de momentos embaraçosos.

– Mamãe, quando eu quecer, ser adulta... Eu posso ter um quarto só pra mim? – diz Carol, 3 anos, em seus múltiplos desejos para não dormir.

– Pode, sim – respondi.

– Sozinha não, Carol, você vai ter um quarto pra você e pro seu namorado – sugeriu Letícia, de 7 anos, para meu espanto.

Pulando no mesmo lugar, Carol gostou da ideia.

– Eu vou ter um namorado!

Ainda atônita diante da cena, ouço uma voz masculina se manifestar aos berros do quarto ao lado.

– QUE HISTÓRIA É ESSA, Letícia?

– Não é para mim, pai, é para a Carol. Eu ainda não sei quem eu vou namorar – diz a mais velha, numa vã tentativa de se explicar para o pai.

– Isso não é ideia válida para nenhuma das duas ainda!!!

Enquanto eu tentava me refazer, ele me pergunta:

– Quié? Tá rindo de quê?

Ri do que vem por aí.

– chega pra lá, letícia, que eu vou deitar
aqui pra você fazer cafuné em mim.
– tá, mamãe, mas não devia
ser ao contrário?

Letícia, aos 6 anos

parte 3

Esta relação tão delicada...

pais que nunca estão lá

Eu fazia um planejamento para decidir como aproveitar cinco dias de férias em julho, com as crianças e o marido. Meu informante, com quem travei enorme empatia ao telefone, passava-me dados sobre um resort na Bahia.

– Temos muitas atividades para as crianças. Quer dizer, para a mais velha. Então, a senhora só vai precisar vê-la à noite.

– Não, eu preciso vê-la o dia todo. Ela é muito bonitinha.

– Que horror – ele disse, como se pedisse desculpas pela proposta. – Mas tem muita gente preocupada com as atividades para as crianças, a senhora sabe, ter o que fazer o dia todo.

– Sei. Mas não estamos realmente preocupados com isso. Preciso aproveitar enquanto elas querem minha companhia. Tem praia, não tem?

– Claro! Para a pequena, se precisar, indicamos babás. Elas só não dão comida e banho.

– Rapaz, vou te falar uma coisa, eu já abro mão de dar banho nela quase todos os dias da semana. Eu só faço a reserva no hotel se puder dar banho nas minhas filhas.

Vamos por partes. Brincadeiras compõem o universo infantil e são especialmente bem-vindas nas férias. Chegará o dia em que elas passarão correndo por nós, gritando atrás de outras crianças e pedindo urgente um batom para a gincana, enquanto eu pergunto ao meu marido se entreguei a maquiagem para a criança errada por engano porque estavam todas fantasiadas. Mas minhas filhas são pequenas. E crianças pequenas querem atenção e colo dos pais.

Já me perguntaram por que eu vivia cansada quando Carol acordava duas, três, cinco vezes durante a noite, e me questionavam: "Você não tem babá?"

Tenho, mas nunca dormiu no quarto delas, por vários motivos. Nenhum passa pelo demérito da profissional, em quem confio e a quem sou muito grata por cuidar tão bem das minhas filhas enquanto estamos fora. Mas o ponto é esse: ela cuida enquanto estamos fora.

É no aconchego da noite que perguntas aparecem, histórias e confissões surgem, e eu quero estar lá para ouvir e responder. No escuro do quarto, a criança em eterna batalha contra o sono pede carinho. Quero estar lá para fazer. Na madrugada, pesadelos e sonhos tomam formas. E eu quero estar lá para espantar monstros e confortá-las. Um gemido interrompendo o sono pode indicar febre. Somos nós que vamos checar. Porque quando ela chama "mamãe-nhê, ou papai-iê" é mamãe ou papai que vai aparecer.

Além do mais, sigo a cartilha de que a babá precisa descansar, até porque qualquer pessoa cansada perde a paciência com mais facilidade. Mas cada família é livre e soberana para avaliar suas necessidades. Há pais e mães que precisam de babás que durmam no quarto por motivos que não me cabe discutir.

Talvez – e digo isso com toda a sinceridade – não haja nenhum mal, nem no hábito de deixar crianças e babás no mesmo quarto, nem na criança entregue totalmente a outra pessoa, com quem estabelecerá sólidos laços de afeto. Sempre haverá histórias daquela criança que cresceu sob cuidados alheios, foi para o colégio interno, fez intercâmbio, e se acostumou a ver os pais muito pouco, desde tenra infância. Mas tornou-se um adulto ajustado, um filho amoroso, um cidadão exemplar, um ótimo pai, e até hoje visita a babá. Tudo é possível. No cenário descrito há pouco, a única impossibilidade para os pais é construir a memória deste amor.

É disso que não abro mão.

Tem algo muito errado quando os pais não passam um minuto a sós com seus filhos. Saem da maternidade com enfermeira contratada, passam para babás que trabalham vinte e quatro horas, substituídas por folguistas de fim de semana e feriados, chamadas para brincar, alimentar e dar banho. Acostumaram-se a delegar. Não precisam ir a festas infantis. Mandam seus assessores domésticos para o "dia da família" na escola. Orgulham-se de nunca ter perdido uma hora de sono, nem quando os filhos estavam doentes. São pais, mas nunca estão lá.

É preciso estar lá para zelar pela memória deste amor.

os melhores pais não têm filhos

Depois que você se tornar pai ou mãe, ouvirá muitos pitacos na forma de criar seu filho. Você receberá algumas recomendações interessantes da saída da maternidade até a porta da escola. Provavelmente começou a aprender, ainda na gravidez, a lidar com comentários desnecessários, mas prepare-se, porque o fluxo de sugestões não solicitadas tende a piorar. E você descobrirá que existem muitas pessoas capazes de criar um filho melhor do que você. A maior diferença entre você e essas pessoas é que algumas não têm filhos, mas sabem julgar como ninguém.

Você descobrirá uma categoria humana nascida pronta. Nunca foi criança. Está sempre com a cabeça quente. Não suporta a ideia de dividir um ambiente com um bebê de colo. O mundo é dos adultos, concebido por e para eles. As crianças devem se adaptar enquanto estão passando por essa fase – insuportavelmente barulhenta e sem noção – da vida. Felizmente, para eles, essa fase dura pouco.

O humor deles funciona para censurar você. Na rua, no mercado, no hotel, na escola e até no ambiente de trabalho, você será patrulhado por gente assim. Talvez você tenha a sorte grande de ter uma vizinha talhada para ser uma ótima mãe teórica dos filhos dos outros. Ela sabe que birra de criança é resultado da sua incompetência. Tem na ponta da língua o diagnóstico para o moleque que chora e bate o pé: é mimado. Mas talvez não te diga isso. Só vai dizer para os outros.

Quanto mais distante do alvo a ser criticado, mais à vontade essa pessoa fica. Parece conhecer seu filho melhor do que você, mas no fundo não gosta de criança. Desobediência é falta de pulso dos pais. Falatório alto também. Para gente que age assim, pai é pai, mãe é mãe. Criança não tem voz nem vez. O melhor é mantê-la sob rédea curta até que cresça. Para essas pessoas, toda criança é um tirano em potencial e não merece respeito. Os filhos dela jamais dariam chiliques.

Cuidado, porque, sob influência dessa blitz, é capaz de você mostrar sua pior versão – mais irritada do que o normal, mais explosiva do que gostaria –, só para dar uma resposta à sociedade dos educadores teóricos.

Talvez alguns desses conselheiros não requisitados tenham filhos, o que dará a eles o direito de falar como quem sabe o que está dizendo. São os donos da verdade. Possuem fórmulas testadas e aprovadas por seu modo de vida. Os filhos deles nunca fizeram nada de errado; tiraram fralda e chupeta na idade certa, porque o método deles foi e ainda é o melhor, além de se aplicar a qualquer um sob quaisquer circunstâncias. Você é que não enxerga isso.

Desconfie.

Homens costumam ser as principais vítimas dessas pessoas, porque todo mundo sabe que pais quase nunca fazem nada certo mesmo. Propõem brincadeiras idiotas e nunca enxergam o risco que os filhos correm. Os algozes da vida alheia falam com a empáfia de quem só tem a dizer, e nada a trocar com você. Podem até saber o que é ter filho, mas jamais saberão o que é ser você, estar na sua pele e ter a sua vida.

Palavras desafinadas apenas machucam os ouvidos que, em defesa, fecham as portas da compreensão.

Para chegar ao coração, as palavras precisam ser leves e ligeiramente adocicadas. As carregadas de fel ou desdém descem para o fígado, a fim de serem metabolizadas e transformadas em algo melhor. Conselho, para ter efeito, deve vir embrulhado em empatia, e não vir rolando, desembalado e grosseiro, do alto de uma escadaria. Ignore a opinião de quem se diz melhor do que você.

nossa imagem e semelhança

Quando notei que ela, irritada, falava num tom muito parecido com o de alguém que eu conheço; quando eu percebi que não gostava daquele tom e me dei conta de que aquela pessoa que ela copiava era eu, decidi que precisava fazer alguma coisa. Ou mudar, ou no mínimo vigiar para deixar que ela copiasse só o melhor de mim. Como fazer?

Se você vai continuar lendo este texto achando que até o final dele eu vou apresentar uma baita de uma estratégia que deu certo, esqueça. Eu não tenho fórmulas prontas; apresento constatações.

A esta altura, você já sabe que crianças estão atentas a tudo, mesmo quando se fazem de distraídas. Mais cedo ou mais tarde, uma mania nossa cai naquele pequeno radar feito à nossa imagem e semelhança.

As imitações começaram quando minha filha mais velha resolveu piscar de volta para mim, tal qual eu fazia com ela. Descobri assim que ela sabia piscar com apenas um olho, aos 4 anos.

Depois, ela começou a repetir uma mania que eu tenho de me dizer "chocada" com algo surpreendente. E ainda começava a frase com uma negativa, como quem vai me contar algo inacreditável, assim como eu faço. "Não, mamãe, eu fiquei chocada...", e segue falando diante do meu olhar ainda chocado com tão perfeita imitação.

O negócio foi ficando mais elaborado. Por exemplo: se faço uma promessa e não cumpro, "Você não disse que ia me contar três histórias, hein, dona ma-mãe!?".

Assim mesmo, enfatizando o "dona ma-mãe", como eu digo "dona Letícia" para ela. O riso, eu segurei. A imagem daquele meio sorriso infantil de quem estava disposta a tratar de um assunto urgente comigo eu não vou esquecer jamais.

Quando Letícia veio me mostrar, toda prosa, que já não precisava mais da escadinha para alcançar a torneira da pia, eu fiquei boquiaberta de propósito para deixar bem claro como aquilo era importante, no que ela se antecipou a mim e "se" perguntou, com um tom muito familiar: "Onde é que eu vou parar, hein!?". E disse isso com a mão na cintura.

O curioso de conviver com estes pequenos clones é que não precisamos mais do espelho para encontrar nossos trejeitos por aí. Eles ganham corpo e alma. Ficam tão evidentes que, se bem-observados, podem nos economizar algumas sessões de terapia. É uma autoajuda espontânea e muito mais divertida.

Dona mamãe tem muito o que aprender.

perdoe seus pais

Chega de culpar seus pais. Você pode ter constatado inúmeras lacunas na relação de vocês, mas é hora de dar um passo além dessa conclusão e assumir as rédeas da própria vida. A bem da verdade, esse é um difícil passo. É quase um cacoete humano buscar em algum lugar – menos dentro de si – explicações para os problemas. Culpar os pais é uma variação dessa tendência.

"Ela só pensa assim porque é mãe", você pode dizer. E estará certo. Ser pai e mãe não é um despertar automático que nos leva a concluir que "nossos pais tinham razão", porque pode ser que eles não tivessem mesmo. Quando nascem os filhos, o desafio é fazer a coisa da nossa maneira, construir o nosso modelo familiar, algo que não brota do vaso das nossas ideias de uma hora para a outra. É um processo lento e reavaliado, conscientemente ou não, de acordo com fases, necessidades, crenças e dificuldades. Admitir que nossos pais tinham ou não razão significa muitas vezes optar por nos aproximar ou nos distanciar das raízes. E essa dicotomia pode nos induzir ao erro.

Daqui do meu posto de observação da vida, vejo muita gente se esmerando numa espécie de contraprova daquilo que os pais supostamente fizeram de errado. Um comportamento identificável em frases como "minha mãe nunca tinha tempo para mim", ou "eu recebia muitas críticas do meu pai, por isso resolvi que, com minha filha, será na base do elogio".

Não tenho dúvidas de que nossa consciência aprimorada é um poderoso aliado na construção de uma relação profunda com os filhos. Ao mesmo tempo, entendo que as escolhas calcadas no ressentimento criam uma interdependência com a origem que se busca negar. Nenhum antídoto tem serventia se não estiver na presença do veneno.

Não vejo saída melhor do que o perdão irrestrito e incondicional. Perdoe seus pais pelas falhas, pelas mancadas, pelas ausências, pelas ignorâncias, e sinta-se livre para ser pai e mãe da sua maneira. Um amigo bem-humorado recorda, rindo, as surras que ele e o irmão levavam da mãe. Incapaz de encostar um dedo no filho, por mais levado que seja, ele optou por um modelo autêntico de paternidade. "Mas não é que eu ache que mamãe errou. Ela tinha razão quando batia. A gente desobedecia à beça. Aprontava. Eu sou apenas diferente", diz, sem mágoa no coração, diante do meu olhar admirado.

Durante algum tempo, achei que sabia muito pouco da minha infância. Minhas manias, meu aprendizado. Você sabe que os pais lembram tudo do primeiro filho: a primeira febre, o primeiro dentinho, o segundo. Tudo anotado. No segundo filho rola um esforço para registrar as gracinhas, e a memória pródiga ainda consegue reter muita informação. No terceiro, a história começa a mudar. Episódios são trocados. Geralmente o que se acredita ter sido gracinha do terceiro foi, na verdade, do primeiro. É muito cansaço para dar conta de detalhes. Agora eu deixo para sua imaginação traçar o perfil da quarta filha – meu caso.

Se estiver com pressa, tentando me chamar, mamãe consegue dizer os nomes das minhas três irmãs e, antes que ela diga o do meu irmão ou o de alguma sobrinha, eu a lembro: "Bebel, mãe." As tias mais velhas e os primos falam que eu era tão tagarela quanto minha caçula. Tinha resposta para tudo, desde pequenininha. Devia ser engraçado. É uma pena eu não ter como acessar essas coisas.

Minhas histórias familiares extrapolam este livro. Um dia vou entregar todo este material a minhas filhas e espero darmos boas risadas. Grande parte dos meus registros tratam mais da forma como eu me sinto. É uma confissão sobre a maneira como eu me percebo nessa função de mãe e o quanto tudo isso me transformou e me ensinou. A ironia da vida é que foi dessa maneira que eu pude conhecer mais a fundo os sentimentos da minha mãe. Ao se identificar com meus sentimentos de hoje, ela ri solidária, concorda, comenta que se sentia da mesma maneira. Ela só não tinha o hábito ou a vontade de fazer como eu faço, o que não quer dizer que ela não sentisse essas emoções que transbordam de mim para o papel. Somos apenas diferentes. Foi assim que eu a perdoei por ter esquecido as minhas tiradas de criança.

precisamos falar sobre as lembrancinhas

Dez motivos para você se libertar da obrigação de oferecer brindes nas festas do seu filho:

1 - Está difícil ser original

A primeira pessoa a ter a ideia de oferecer uma lembrança ao fim da festa foi original. Ela surpreendeu a todos com uma gentileza sem precedentes na história das celebrações. Saiu da curva. Foi a primeira. Depois viemos todos nós. O que dizer? Embarcamos na caravana do "tem que fazer". No desespero da falta de tempo, grana, criatividade ou paciência, pensamos: "vai qualquer coisa mesmo." E "qualquer coisa mesmo" não pode ser algo original.

Não fica assim, vai, eu também já mandei mal. Comprei quebra-cabeças de papelão com peças empenadas, impossíveis de serem encaixadas, só porque era do Barney, tema da festa de

3 anos da filha. Fiquei toda feliz com um monte de buginganga do Barney na sacolinha personalizada com o rótulo "aniversário". As crianças também ficaram muito felizes com o monte de treco, que deve ter quebrado, sumido ou ido pro lixo dois dias depois.

Tem gente capaz de inovar sempre. Minha filha mais nova voltou outro dia toda feliz da festa do Antonio. Saiu de lá com um baldinho e sementes de feijões mágicos. Perfeito para a festa do João e o Pé de Feijão. Os feijões mágicos brotaram. É um brinde como poucos porque rende frutos. Eu também já acertei, aliás. Foi numa certa festa do pijama em que ofereci às dez meninas frascos pequenos com shampoo, sabonete líquido e hidratante. Eu, o pai e nossa pequena ajudante nos divertimos preparando os brindes.

Mas precisamos reconhecer que ninguém consegue ser original o tempo todo. Na terceira festa consecutiva você já começa a pensar "isso não, isso também não" e acaba forçando a barra. Pra quê? O que eu quero dizer é: não precisa. Não sofra com isso. O problema é que, enquanto houver pessoas prendadas ou dispostas a gastar mais para providenciar uma surpresa para os convidados, estaremos todos condenados à execração eterna. A solução é, ou para todo mundo, ou continua como está. Voto em parar todo mundo. E apresento mais nove motivos para ajudar na decisão.

2 - Brindes de plástico baratinhos e o fatídico BPA

BPA é um policarbonato comum utilizado na produção de plástico e proibido em diversos países, inclusive no Brasil, onde ainda corre o prazo para eliminá-lo de vez das prateleiras. Há pesquisas apontando o risco do BPA para a saúde de fetos, bebês e crianças. A comunidade científica preocupa-se com a possível relação do BPA com problemas neurológicos e até com o câncer. Vários fabricantes pararam de usar BPA. Você certamente já viu em vários produtos infantis a etiqueta "livre de BPA" ou "BPA free". São mamadeiras e copos de ótima qualidade, e mais caros do que os demais. Agora pense naquela garrafinha plástica distribuída a rodo em festas infantis...

3 - O item lembrancinha encarece a festa

Você tem algumas opções. Se for dar a festa em casa, estará baratinada com providências. Abrir as portas do lar é um momento que oscila do divertido ao tenso. Depois de pensar em tudo, você vai se dar conta de que esqueceu justo as lembrancinhas. E assim terá arrumado um motivo a mais para estresse. Se você for dar a festa no play, vale tudo o que eu acabei de dizer mais o custo de alugar o salão. Se a opção for casa de festa, multiplique por cinco a despesa inicial. O pacote promocial "que já vem com lembrancinha incluída" embute o preço do supérfluo.

4 - A mochilinha com o nome da casa de festas é propaganda gratuita

E a casa de festas não te dará um desconto por causa disso.Pelo contrário... Vai dizer que sai de graça, mas está incluído no preço.

5 - Dá trabalho

Sei de gente que resolveu parar de dar lembrancinha assim como quem decide deixar de fumar. Acordou de manhã, sentiu os efeitos da abstinência, mas se manteve firme e foi adiante. No final da festa, pediu desculpas e tal, não teve tempo, mas era uma forma de começar a limar uma preocupação da vida.

Não é uma decisão fácil. Ninguém bola lembrancinha por mal. Pelo contrário, estamos sempre muito bem-intencionados. Mas pra quê, me diz, pra quê?

Muito mais difícil é fazer uma festa sem tema. Festa não temática é um dos novos pecados dessa geração de crianças. Já cometi essa heresia. Três vezes. E sempre aparece aquela criança fofa que, depois de observar bastante os balões de cores variadas, os pratos descartáveis transparentes e o bolo de chocolate, vai te perguntar na maior inocência:

– Tia, qual o tema da festa?

Sugestão: sussurre no ouvido dela:

– O tema é... aniversário!

E encerre a conversa com aquela piscada de olho. Crianças adoram segredos. Mas lembre-se: eu sempre posso estar errada.

6 - A alegria das crianças dura tanto quanto a qualidade do brinde

Por falar em arrumar qualquer coisa, é preciso reconhecer que a situação não anda boa para ninguém. Daí, quando você faz as contas, não pode gastar R$10,00 por criança porque você convidou 40 e sempre tem o irmãozinho, daí lá se vão R$500,00 só de lembrancinha! Ser criativo sem dinheiro é brincar no nível dois de dificuldade. Você não está mais no básico.

Na tentativa de baratear e continuar fazendo bonito cometemos as maiores bobagens, como dar aquele giz de cera que quebra na primeira tentativa de uso. Não podemos continuar estimulando fabricantes desse quilate, porque eles só servem para dragar nosso dinheiro em coisas inúteis. Muitos brindes agradam por pouco tempo. Não vale a pena.

7 - Lembrancinha bacana demais constrange convidado que levou um presente simples

Talvez isso não te diga respeito, mas o extremo oposto da lembrancinha baratinha é a competição pelo brinde mais legal em certos círculos sociais. Parecem estar competindo para ver quem dá a festa mais cara, mais produzida, mais exagerada, mais qualquer coisa. Você fica com a nítida impressão de que a pessoa não sabia o que fazer com tanto dinheiro e resolveu doá-lo aos convidados.

Nada contra festas. Sou uma entusiasta de celebrações de maneira geral. E é óbvio que cada um faz o que bem entender com o próprio dinheiro, ainda mais se estiver sobrando. O que eu quero dizer é que você não precisa sofrer para tentar fazer igual. Só isso.

Simplicidade é pré-requisito de elegância. Ostentação é o caminho contrário. Criança costuma ficar feliz com muito pouco. Nós é que enfeitamos demais o pavão.

8 - É charmoso dar uma festa vintage

Por falar em simplificar, lembra as festas da nossa infância? Tinha brigadeiro, bolo confeitado com granulado ou açúcar e dedinho de criança marcado na lateral do tabuleiro. No nosso tempo, as festas não tinham lembrancinhas. Só balões e língua de sogra. Relembrar esse estilo pode ser a nova festa vintage. O cenário do parabéns deve incluir crianças suadas com cotovelos apoiados na mesa e uma vela com o número da idade. Nada de família posando sozinha para fotos; fica parecendo que não havia convidados. O aniversariante precisa, de preferência, sumir no meio dos amiguinhos. Quando ele crescer, achará o máximo ter que perguntar: "Mamãe, este sou eu?"

9 - Não precisamos dar doces demais a crianças

Se seu filho for uma criança no *strictu sensu* da palavra, você saberá, melhor do que ninguém, quanto o compartimento de doce na barriga dele é maior do que a área reservada para salgados. Crianças são predadoras naturais de açúcar, salvo os tipos recessivos e raros. Tudo o que as crianças não precisam é de estímulos para aumentar as doses desse veneno refinado tão apreciado pelo paladar infantil. Pelo contrário, dada a facilidade com que toparão com doces na porta da escola, na cantina do colégio e na festa dos amiguinhos, toda bala deverá ser evitada. Nosso papel, como piores pais do mundo, é controlar este consumo.

Você sabe muito bem o que acontece depois daquele fim de semana em que rolaram pelo menos duas festas infantis. Você volta para casa com um suprimento cavalar de açúcar ao alcance de uma criança sem noção. Quando ela perceber que seu tesouro pessoal foi confiscado por medida de segurança alimentar, estará criada mais uma desnecessária crise familiar. Não dê doces. Tenha pena dos pais.

10 - Criamos a cultura de recompensa

Crianças agora esperam ganhar presente nas festas. Ensinamos isso a elas. É um hábito que está se enraizando na nossa cultura, banindo as festas simples, subvertendo o sentido de uma celebração que deveria ter por objetivo prestigiar o aniversariante e dividir com ele um momento de alegria. Analisando friamente, a espontaneidade está perdendo para a recompensa. Fiquei chocada, certa vez, ao ouvir um menino de 10 anos (acho eu) comentar com outro amigo num shopping: "O cara é chato, mas a mãe mandou bem nos brindes." Cruel em vários sentidos.

Criança nunca nota se fulano ou cicrano trouxe presente. Quem repara são os adultos. É certo que o aniversariante ficaria decepcionado se, numa coincidência improvável, todos os convidados chegassem com as mãos abanando. Mas criou-se a absurda situação do convidado reclamar de aniversariante que não oferece brinde. Tornou-se mandatório. É ou não é uma inversão de valores?

Você pode até achar que estou exagerando, mas nossa sociedade fabrica necessidades e desejos num ritmo sufocante, e tem horas que gostaria muito de retornar a uma vida mais simples, sem tantas amarras, demandas e expectativas. Há inúmeros benefícios em se resgatar o sentido da felicidade vivida, e não comprada. Dizem que o primeiro tipo dura mais. Mas lembre-se: eu sempre posso estar errada.

Como estou tratando de um assunto que mexe com as expectativas infantis, fui ouvir o outro lado. Chamei minha filha mais velha para uma conversa, o pai como testemunha.

– Você vai para uma festa achando que vai ganhar um brinde?

– Sim.

– Fala sério, filha, você fica curiosa esperando uma lembrancinha?

– Fico – respondeu, rindo.

– E você fica frustrada se não ganhar?

– Hummm... Um pouco!

O mundo está mesmo perdido. Não disse que eu podia estar errada?

virtudes para exercitar em família

Difícil não é confessar pecados. Todos os cometemos. Complicado é buscar as virtudes que lhes servem de antítese, sobretudo no delicado convívio familiar. A intimidade age como uma licença para mostrarmos o pior de nós. Não precisa ser assim. Desejo a todos nós a capacidade de exercitar sete virtudes que nos tornarão pais, filhos, irmãos, pessoas muito melhores. Só que dá trabalho. Mãos à obra.

Otimismo

Virtude obrigatória num lar com crianças. Sonhar é um verbo intransitivo para elas, que sonham e ponto. Ninguém ensinou. Crianças acreditam sempre que tudo pode melhorar. Submetidas a maus-tratos, perdoam seus algozes. Doentes, botam fé na cura. Pobres ao extremo, inventam brinquedos a partir do improvável. Até que as circunstâncias roubem delas essa capacidade, crianças são, por princípio, otimistas. Se você é responsável por um ser assim, precisa fazer de tudo para não cair na vala fácil da reclamação contumaz, da crítica destrutiva e da lamentação infértil. Em poucas palavras, tem que deixar de ser chato. Se você acha que o mundo vai acabar amanhã e adora esbravejar isso em alto e bom som, reveja seus conceitos e não desmereça o futuro. Há uma criança por perto ansiosa para chegar lá. Exercite, com a ajuda dela se preciso for, o otimismo que há em você.

Comedimento

Se você pensar no pecado capital da gula, vai achar que comedimento só serve para bom comportamento à mesa, só que não é bem assim. Comedimento é a antítese do exagero, esteja ele no consumo voraz (de coisas e comidas), no trabalho em excesso, na atividade física extenuante e em tudo aquilo que só serve para restringir ao mínimo possível o convívio familiar. Se o objetivo declarado não for fugir da família e houver alguma chance de você se arrepender de perder a infância do filho, é hora de tentar ser um pouco mais comedido.

Solidariedade

Uma virtude fácil de manifestar com desconhecidos. Somos solidários com vítimas de catástrofes naturais ou tragédias sociais. Redes de apoio surgem unindo pessoas a socorro de estranhos no mundo todo. Mandamos cobertores para gente com frio lá no Japão, onde teve terremoto. Bacana. É o lado altruísta da humanidade, mas é possível começar esse exercício em casa com quem mais precisa de você. Solidariedade no mais amplo sentido da palavra envolve amparo, proteção, orientação e empatia – produtos que não podem ser despachados pelos correios para vítimas de intempéries. Solidariedade familiar é pessoal e intransferível. Não pode ser terceirizada. Supõe a doação de algo muito mais importante do que seu dinheiro: o seu tempo.

Paciência

A mais difícil das virtudes. Costuma faltar tanto em episódios banais, quanto em situações extremas, esteja você envolvido na educação de criancinhas ou, quem sabe, lidando com idosos teimosos. Filhos são diferentes e as exigências que partem deles também. Uns solicitam demais dos pais, outros menos. Alguns pais se sentirão sugados por muito pouco, enquanto outros estarão sempre vivendo no limite da sanidade psicológica em função de demandas que nem eu nem você conseguimos imaginar agora. Quanto aos idosos, estaremos lidando com a pessoa que amamos desprovida do melhor de si: disposição, saúde e, não raro, capacidade de se perceber.

Eu sempre achei que as pessoas nasciam com uma determinada cota de paciência, o que explicaria a calma e a placidez de gente que parece nunca se irritar com nada. Descobri na prática que paciência é um músculo – em local desconhecido pela ciência –, que precisa de exercício diário para não perder o tônus. Quanto mais trabalhado, melhor fica. Exercite-o e respire fundo nos intervalos para não baixar a oxigenação do cérebro, assim você evitará fazer uma besteira.

Boa vontade

Essa virtude entra na lista como a antítese da preguiça, esse pecado que costumamos manifestar sem pudor com os mais íntimos e caros. Sei de gente que faz os maiores sacrifícios pelo vizinho, pelo amigo que mora no exterior, pelo chefe, mas é incapaz de ter boa vontade com o próprio filho. Peralá. Sejamos o melhor de nós mesmos com aqueles que mais amamos. Boa vontade é essencial da porta de casa para dentro também.

Sabedoria

Para sacar da manga na hora certa uma das cinco virtudes citadas anteriormente.

Humildade

Para reconhecer que erramos e pedir desculpas a quem quer que seja – sublinho os filhos – quando falharmos na tentativa de exercitar quaisquer uma das seis virtudes anteriores. E, principalmente, perdoe-se. O segredo é insistir em melhorar.

Eu digo para Letícia, aos 6 anos, que metade dela veio de mim e a outra metade, do pai. Com a mão reta sobre o nariz, ela me pergunta:

– Qual metade você acha que é a sua?

- carol, você é uma novidade!

- não sou. você que é, mamãe. eu vou mostrar você pros meus amigos!

Carolina, aos 2 anos e 10 meses

parte 4

Uma missão difícil, divertida, chatiiiinha...

pentear cabelos

Não sei o que é ter bebês carecas. Minhas duas filhas poderiam ter saído da maternidade com dreads no cabelo. Eu deveria, portanto, ser uma expert em penteados. Não sou. Talvez isso me credencie a alertá-los sobre as principais dificuldades no manejo dessa situação aparentemente simples: pentear o cabelo de sua filha.

Para começar, cabelo dói. Cabelo de criança tem terminações nervosas. Ele termina numa cabeça nervosa que não para de mexer. O primeiro problema é convencer sua criança a ficar parada diante de você. Se a saída foi conversar para entretê-la, você enveredou pelo mais difícil dos caminhos. Crianças, quando conversam, precisam olhar no rosto do interlocutor, para ter certeza de que está escutando. Isso significa que ela não lhe dará as costas e você não conseguirá pentear atrás. Não tem problema. Imagine-a como um quadro. A frente é a moldura. Se você embelezar essa parte, terá cumprido quase todo o desafio.

Mas vamos supor que ela tenha te dado as costas. Saiba que, enquanto você tenta deslizar o pente por uma mecha, a criança tenderá a virar a cabeça ou a deslizar para o chão como quem tenta desaparecer diante de você. Não desista. Levante-a com carinho e prossiga.

À medida que você separa um chumaço cheio de nós para desatá-los, ela jogará a cabeça para trás, ao mesmo tempo em que mia um "aiiii", fazendo com que você perca os cabelos desembaraçados, misturando-os a outra mecha cheia de nó. Você terá que recomeçar e talvez encontre dedinhos entre os dentes do pente porque, em algum momento, ela vai meter a mão no que você está fazendo.

Daí você terá que pedir para ela girar o corpinho de novo a fim de prosseguir com a missão de penteá-la, porque a esta altura é uma questão de honra. Ela vai dar meia-volta, porque está conversando, lembra? E você vai cerrar os dentes e falar, por entre os lábios, *paraquietaporfavor*. Crianças têm uma mania irritante de abaixar a cabeça quando você está terminando de penteá-la, de mexer na hora de separar as marias-chiquinhas, de reclamar que você machucou, que você não sabe pentear e de desmanchar todo o penteado assim que você acabar, porque em algum momento aquilo doeu e a única maneira de desfazer a dor é desfazendo o que você fez.

Conselho: não leve nada para o lado pessoal. Aceite sua incompetência para pentear cabelo infantil e o fato de sua filha ter sempre um caminho de rato no couro cabeludo. Você não estará só.

mantê-las sentadas à mesa

As cadeiras da minha casa têm espinhos. Não só as da minha casa, como as de restaurantes em geral. Essa é uma das hipóteses. A outra é que elas estejam imantadas na mesma carga das minhas filhas, porque cadeiras e crianças, como pólos magnéticos de mesmo sinal, se repelem. Não grudam.

"Senta, filha." Filha não senta. Filha sai. Cada hora por um motivo diferente. Ir ao banheiro, pegar água, buscar brinquedo ou para falar. Por que criança precisa falar em pé?

Você pega a criança no colo e a coloca na cadeira. Em pouco tempo, ela vaza, escorrega para debaixo da mesa. Você, que mal conseguiu mastigar a última garfada, abaixa e a puxa para cima. Dura pouco. Você resolve não esquentar a cabeça e só avisa que, ao terminar, vai tirar todos os pratos e ninguém poderá mais comer. Com uma exclamação de espanto, a criança retorna à mesa correndo. Você pensa satisfeita "que bom, funcionou", só que o efeito dura pouco e a criança escapole novamente. Você não sai do lugar. Apenas chama várias vezes. A irritação começa a tomar conta enquanto você examina o rosto da criança deitada na cadeira com os braços esticados e voz de quem está se espremendo antes de explicar: "Tô ispiguiçando um poquinho pa cabê mais comida", e fica te olhando com um sorriso guardado no canto dos lábios. Você percebe o deboche se delineando no rosto da pirralha e tem até vontade de rir também, mas não pode. Se fosse na televisão, alguém ia rir, só que você não está na televisão. Esta cena acontece na sua casa durante as refeições e quando a gente conhece o roteiro ele perde a graça. Mas você está decidida a não se irritar e busca rápido uma estratégia antes de explodir.

O que você faria se aquela criança tão esperta não fosse sua? Você respiraria fundo, botaria um sorriso no rosto e pediria "que-ri-di-nha". Soa falso, mas a falsidade momentânea te dá um fôlego a mais. Em vez de gritar, você diz: "Que-ri-di--nhaaaa obedece à mamãe, por favor? Hum?".

Ao olhar para o prato, você calcula: faltam umas cinco colheradas. E anuncia triunfante: "Filha, vamos lá, a última." Aí você dá a última duas vezes e desiste. Está bom por hoje. Não vai ficar fraca. A criança com a boca cheia vai escorregando para fora da cadeira enquanto te fita de longe em busca de aprovação para a besteira que está prestes a fazer. "Volta e só sai com a boca vazia!!!". A criança senta e mastiga rapidinho. Aí abre a boca e pede. "Posso sair agora?"

Claro que vai aparecer alguma *supernanny* de plantão para me dizer que eu preciso disciplinar melhor minhas filhas, e que se elas não têm educação tiveram a quem puxar. Obrigada, amiga, eu precisava ouvir isso. Mas o fato é que crianças pequenas não gostam de ficar sentadas. Nem em almofadas. De repente se eu tentar um velcro...

tirar fotos

A quantidade de fotos felizes e de selfies familiares nas redes sociais esconde mais do que a gente pensa. Essas fotos, de famílias primorosas *a la* propaganda de margarina, com pais e filhos sorridentes, levam as outras pessoas a acreditarem que só elas não conseguem tirar uma foto bem-feita com a própria família. Senta aqui e deixa eu te contar.

Eu já me aborreci bastante com essa história de não tirar uma foto bacana da família reunida justo quando eu gostaria. Estamos num lugar bonito, a luz do sol é ideal, todo mundo contente. Mas basta eu dar a ideia para a proposta virar uma novela, em vários capítulos.

Capítulo 1
O apelo inicial
"Vem, gente, vamos fazer uma pose bonita, olha só que legal, o moço vai tirar uma foto de nós quatro! Nós quase não temos um retrato de nós quatro juntos."

Capítulo 2
A pessoa engraçada não desiste nunca
"Vamos ver quem faz a careta mais feia?"
Assim, ela consegue uma foto das crianças juntas, porém, fazendo careta.

Capítulo 3
Hora de alguma criança fugir
"Filhinhaaaa, volta pra foto, por favor?"

Capítulo 4
Hora de outra criança ficar cansada de tanta foto
"Peraí! Agora que sua irmã parou, você sai!?"

Capítulo 5
A mão no rosto
Tenho várias fotos de crianças escondendo o rosto com as mãos. Não vou comentar. Você pode imaginar.

Capítulo 6
A irritação ameaça chegar
"VEM TIRAR UMA FOTO, POR GENTILEZA? Não vou pedir de novo!"

Capítulo 7
A mãe chama o pai para a briga
"Você quer fazer o favor de convencer as suas filhas a tirar uma foto comigo? Que saco isso, gente!"

Capítulo 8
É pessoal?
A foto finalmente é tirada. As crianças sorriem, o pai sorri e a mãe – que a essa altura já levou tudo para o lado pessoal e está magoadíssima – força um sorriso sem graça.

Mais uma foto que não vai para o porta-retrato nem para as redes sociais.

conseguir silêncios

Agora que as meninas dividem o quarto, a hora de dormir virou uma festa. Tem criança pedindo história, outra brigando para sair do berço, uma pede água, a outra imita – "a-ba, a-ba, a-ba, papaiê". E lá estava o papaiê sozinho, tentando acalmar uma, consolar outra, quando a mãe chega. Logo agora que a mãe chega você acha que alguém vai dormir?

A mãe, vendo a balbúrdia, pede *pelarmordedeus* para a mais velha falar baixo. Essa criança não consegue falar baixo?

– Diminui o som, filha, diminui o som. Baixinho... Sua irmã tem que dormir. Shhh. Olha, a fada rabugenta que mora na Montanha Sem Ruído, um dia, castigou toda a floresta. Botou todo mundo rouco, porque queria silêncio. Ela tinha horror de barulho, conhece essa?

– Conta, mamãe, conta!

– Foi, num ataque de bobeira, que a fada decidiu deixar até o leão rouco. O lobo não poderia uivar. Os macacos tinham que brincar em silêncio. Os grilos ficaram mudos. Até os passarinhos, coitadinhos, deixaram de cantar. E assim os sons da floresta desapareceram, por um encanto. A fada amava o silêncio, mas não tinha percebido que os animais precisam gritar. De vez em quando. A mamãe leoa não podia mais alertar seus filhotes sobre algum perigo.

Minha plateia arregalou os olhos, horrorizada.

– Mas nem tudo estava perdido – continuei. – Havia uma princesa capaz de dar um jeito na situação. Era uma menina muito esperta que vivia gritando em casa, o tempo todo. Nunca falava baixo! Um dia, a mãe dela, uma rainha muito bondosa, soube do silêncio na floresta. Temendo que qualquer hora a doida da fada jogasse feitiço até na princesinha barulhenta, propôs que elas fossem juntas até à Montanha Sem Ruído explicar para a fada que o importante era gritar na hora certa, e fazer silêncio quando devia.

– Eu quero ser a princesinha!

– Você sabe a diferença entre gritar e falar baixo, princesinha?

Os olhinhos arregalados balançaram a cabeça positivamente.

– Então vamos, princesa – propôs a rainha-mamãe-cansada e recém-chegada-da-rua que nem banho havia tomado. – Vamos à casa da fada rabugenta.

Andaram pela floresta da sala até o corredor. Passaram por um cavalheiro silencioso, mexendo em algo brilhante que parecia um computador, mas deixaram ele em paz. Era preciso fazer toda a caminhada em silêncio. Pararam à beira de uma nascente para a rainha lavar as mãos. Chegaram finalmente ao castelo-quarto, onde uma cama enorme feita de sonhos aguardava o descanso da fada rabugenta. Nesse momento, a rainha-mamãe troca de personagem e se joga na cama. A princesa pede permissão para falar com a fada.

– Pode falar – consente a fada-mamãe agora deitada.

– Você não pode tirar as vozes de todos os animais da floresta, porque agora a mamãe leoa nem pode mais avisar os filhotes de algum perigo! – diz a treinada princesinha, que sabe muito bem a diferença entre gritar e sussurrar, sobretudo quando sua irmã-princesinha-neném dorme em seu berço real (sonha, esperançosa, a rainha-mamãe).

A fada, desconfiada – porque toda rabugenta é desconfiada –, pergunta:

– Por que você me pede isso? Eu amo o silêncio. Adoro meu castelo em paz. Aqueles animais eram muito barulhentos. Você faz barulho?

A princesinha de olhos arregalados balança a cabeça negativamente.

– Huummm.... – resmunga a fada. – Você acha que os animais saberão quando podem gritar e quando devem falar baixo?

– Sim, eles sabem.

– Pensando bem, eu até gostava de ouvir os passarinhos cantarem de manhã. Tá bom, princesinha, vou atender ao seu pedido, mas com uma condição. Se eu ouvir você gritar quando sua mamãe pedir silêncio, eu jogo uma magia em você também, que nem a Ariel, que ficou mudinha-da-silva!

A princesinha balança a cabeça positivamente.

A fada vira rainha-mamãe e deixa, em companhia da filha, o castelo da fada da Montanha Sem Ruído. Passam pela floresta, que agora exibe os barulhos de sempre, pelo belo cavalheiro e voltam ao seu castelo, que fica na sala.

Satisfeita e feliz, a princesinha berra pedindo mais um pouco.

– Conta de novo?

Não sei se ela entendeu a mensagem.

botar pra dormir

Lá se vão cento e dez anos desde que a humanidade foi apresentada a um conceito-chave do comportamento humano: o reflexo condicionado. Ao estudar o processo de salivação dos cachorros diante da comida e do sino associado às refeições, o psicólogo russo Ivan Pavlov deixou uma grande contribuição para a psicologia moderna. Polêmicas científicas à parte, ele ajudou a desvendar a influência dos estímulos externos no processo de aprendizado. Como pais, somos um estímulo externo permanente e insistente na vida dos filhos. Para o bem e para o mal. Começamos com o treinamento básico. "Repete: ma-ma-i", "Dá um passinho, dá!", "Agradece, filho", "Joga beijinho?", "Na-na-ni-na-não". E avançamos na tentativa de criar reflexos condicionados repetindo todo santo dia a mesma ladainha: "Lava a mão depois do xixi", "Não fale de boca cheia", "Guarde os brinquedos", "Você já fez o dever?" Pouco científicos, não isolamos todos os fatores dessa experiência educacional e os resultados conquistados são muito díspares. Tem pai que faz o moleque se ajeitar na cadeira com um olhar. Pavlov total. Tem gente tentando até hoje convencer o filho de 30 anos a dar um jeito na vida.

Não sei se você já conseguiu condicionar uma criança pequena a falar baixo. Seria genial se a gente levasse o indicador aos lábios e, sem interromper a conversa, conseguisse que elas baixassem o tom da voz. Imediatamente. Outro exemplo: você está com muita pressa, mas tem uma menina descabelada e de cabelo comprido correndo pela casa. É preciso penteá-la. Você pediria "fica quietinha, filha", e a filha permaneceria imóvel, sem se jogar no chão ou fugir de você. Mais uma situação corriqueira: a criança grita "acabei", mas, enquanto você tenta limpá-la e pede para ela parar "por favor", ela tenta beijar o seu pé, ameaçando dar de cara no chão.

Minha experiência doméstica diz que o dia da obediência condicionada vai chegar. O prazo vai depender de três fatores: insistência do educador, complexidade da atividade e idade do filho. É quase perda de tempo falar para a menina de 3 anos não derrubar o leite na mesa porque o líquido fatalmente pingará e sujará também o pijama. Ao falar enquanto come – coisa que faz o tempo todo –, a criança vai inclinar um pouco o copo, o canudo fugirá da boca e, enquanto algumas gotas escorrem do queixo para o peito, outras cairão na mesa e sujarão a toalha. Mas eu já posso ficar satisfeita de manhã quando encontro a mais velha, de 7 anos, prontinha para tomar o café da manhã com a gente, com rosto lavado e pés calçados. Que beleza. Um dia também fechará a pasta de dente.

É muito gratificante perceber que, ao som de um único comando meu, elas reagem comos os cães salivadores de Pavlov diante do sino. Eu digo: "Muito bem, meninas, agora é hora de ficar quietinha na cama para dormir. Boa noite." Logo se segue uma formidável sequência de urgências condicionadas. Um breve resumo:

"Estou com sede. Traz água?"

"Conta outra história?"

"Faz massagem? Não consigo relaxar."

"Minha barriga tá doendo."

"Posso te contar só mais uma coisa?"

"Preciso tirar uma meleca."

"Esqueci de botar minha boneca para dormir."

"Posso buscar o sapinho?"

"Cadê meu ursinho amarelo?"

"Me empresta o seu travesseiro molinho hoje, mamãe?"

"Eu também quero um travesseiro seu."

"Posso começar a dormir na sua cama?"

"Tô com vontade de fazer xixi."

"Papaiê, ela não me deixa dormir."

"Eu vim te dar um beijo."

"Quero fazer cocô."

"Mamãe, não consigo dormir."

Nem eu.

Sem saber mais o que fazer, lanço um desafio. "Quem dormir primeiro, ganha!". Silêncio tomou conta do quarto. Aguardei alguns segundos para ver quanto tempo minha tática funcionaria.

Ainda de olhos fechados, Carolina, com 3 anos, pergunta: "Já ganhei?"

saber quanto calçam

Conheço aquele olhar da vendedora ao me ver sacar o celular, telefonar para casa e pedir um favor.

– Vai no armário das crianças e checa qual o número da sandália da Carolina que acende embaixo? Vinte e quatro? Tudo isso? Achei que era 22. E o tênis da Letícia, é 30? Trinta e três?

Sorrio amarelo. Deve me achar a mãe mais relapsa do planeta, daquelas que não sabem da rotina das filhas nem a metade. Não é isso. Eu sei demais.

Sei o que gostam de vestir e comer, os programas de televisão favoritos e as melhores amigas. Eu sei o que deixa minhas filhas irritadas e felizes, sei também como elas costumam acordar e como gostam de dormir; os comentários que as alegram e os que as incomodam. Sei como reagem a certos estímulos e o melhor jeito de fazer cosquinha para arrancar uma gargalhada gostosa. Sei os pontos fracos e fortes. Eu conheço minhas filhas pelo pum: os cheiros são diferentes. Se estiver num quarto escuro e me entregarem uma mãozinha para massagear, saberei dizer se é das minhas filhas. De olhos vendados, eu reconheço essas meninas pelo toque da pele e pela textura do cabelo. Se estiverem longe, consigo discernir suas vozes em meio à gritaria e algazarra. Sou capaz de ouvi-las me chamar ainda que sussurrem no escuro da noite e eu esteja dormindo.

Se uma das duas me telefonar, posso adivinhar minha interlocutora pela respiração.

Minha intimidade com elas aumenta todos os dias. Mas os pés delas também.

blefar

Blefar é o ato de iludir no jogo, fingir a posse de cartas que não se tem. Blefar também faz parte da estratégia de educar crianças. Vou explicar com exemplos.

Uma amiga tem um filho de 4 anos – fase em que as crianças aprendem a dar respostas para tudo e a afrontar a ordem superior. Contrariado num desejo, o menino partiu para a ofensa e xingou a mãe: "Feia, burra, magra!!!". Surpresa, a mãe teve de se fazer de ofendidíssima para ensinar a ele que não se xinga as pessoas.

Fingir, no caso, foi um pecado menor (e necessário) da missão de ensinar uma criança a se comportar. Imagina se ela diz que achou o máximo ser considerada magra? Dito isso, vou dividir com vocês minha mais nova técnica de obediência instantânea que tem se mostrado mais eficaz do que qualquer tentativa de negociação.

Quando minha filha – que também está na idade da afronta – finge não ouvir o que peço repetida e insistentemente – uma mania um tanto irritante –, eu parto para algo mais ameaçador: "Olha aqui, vou contar até três."

Quando meus pais faziam isso, eu tinha medo de levar uma palmada no final da contagem. Aqui em casa não recorremos a esse método, nem a nada parecido. No dois, eu corria para fazer o que eles mandavam. Descobri, surpresa, que minha filha também. Ela para o que está fazendo, olha para mim numa indecisão quase imperceptível e sai correndo. É batata: escova os dentes, coloca o uniforme ou pega a última colherada. Chega a ser engraçado.

Um dia, ela demorou mais do que o normal. Tive que fazer a contagem em decimais: "Dois e meeeeeeeeeeeeeio, dois vírgula setenta e cinco. Tô chegando no três, hein!!!". Temendo ser pega no meu blefe, lancei uma nova: "Se eu chegar no três, você vai perder, entendeu?". Ao que ela me respondeu: "Não vou perder, NÃO!!!". E correu para se arrumar para a escola. Ela não gosta de perder.

Agora você poderia me perguntar: e se você chegar ao três e ela não te atender?

Aqui entre nós: sei lá. Quem blefa sabe o risco que tem. Meu único conselho é "use com moderação", sob pena de ser desmascarada. Já está na hora, de qualquer maneira, de procurar uma nova tática de convencimento infantil.

sair de casa com todos

São 11h30 da manhã de domingo. A mulher avisa: "Gente, tá na hora de se arrumar para sair ou o plano não vai dar certo!". Quase três horas depois, eles chegam ao restaurante.

O que aconteceu para eles demorarem tanto?

A neném acabou de mamar, mas precisava arrotar. Pai segurou a neném enquanto a mãe convencia e aprontava a mais velha. O pai foi tomar banho e fazer a barba. Voltou depois (bem depois) para dar banho na bebê, que já tinha arrotado. Pai pra lá, mãe pra cá e pra lá, a bebê fez cocô e golfou enquanto a mais velha zoneava o quarto. Mulher flagra o homem lendo jornal. "Cadê o banho?", "Está quente. Estou esperando esfriar." "Você tá falando sério? E por que não mistura água fria?", ela pergunta.

"Estamos com pressa. Também quero me arrumar", diz a mulher. Estamos quem? Na cena descrita, apenas a mulher parecia ter pressa.

A filha mais velha não quer sair. Aliás, acaba de tirar a roupa. "Anda, querida, por favor, ajuda." Já são 13h30, é melhor ela comer em casa, porque se bater o mau humor, o programa vai pro vinagre. Dá comida, escova os dentes; finalmente, coloca a roupa.

Alguém foi arrumar a bolsa do bebê?

Depois de todo mundo, a mulher se arrumou em cinco minutos e deixou o banho para a volta. Deve ter passado o lápis de olho na bochecha, batom no cabelo e se sentia um monstro. Estava chateada. A avó nem comenta nada, porque nessas horas somos todos visita.

Aí o marido elogiou: "Você está linda." Beija, abraça, "relaxa, vai", e todos estão felizes, famintos e prontos para sair, quando a filha mais velha chega na sala despenteada, vestindo a roupa do balé. "Por que você fez isso?!"

O episódio acima aconteceu comigo, num domingo – vários domingos, em versões que eu poderia recontar mudando apenas detalhes e a idade das crianças.

Amigas casadas e com filhos contam histórias muito parecidas sobre "homens descansados", "mulheres irritadas" e "filhos demorados".

Por que as mães correm tanto?

Preciso dizer que, em casa, eu sou muito pior do que meu marido no quesito pontualidade. Descansada demais, já fiz a família perder o avião. Mas confesso que, como muitas mulheres, me vejo no papel de tentar salvar o tempo, apressando todo mundo para "tudo dar certo", numa disputa insana para enquadrar nossa rotina no que parece ser o ideal.

Não acredito que seja um problema de gênero. Na hora do vamos ver, o estressado, seja ele quem for, precisa aprender algo com a metade mais tranquila da relação. Isso requer jogo de cintura para mudar a proposta que a gente mesmo se impõe e priorizar a família.

Não deu para chegar ao restaurante planejado? Vamos em outro. Chegamos tarde ao shopping? Entra no filme iniciado.

Criança não liga mesmo. Pegamos a festinha no final? Desculpe, mas é melhor não explicar. Dentro do limite do razoável (não vá perder um casamento se você for madrinha e as crianças, as damas), não vale a pena estressar a família toda.

Tanta pressa para quê? Já corremos de segunda a sexta. E daí que o cronograma desandou no fim de semana? Por precaução, num evento importante, começarei a arrumar o povo quatro horas antes. Minha grande prova de fogo será o batizado, marcado para às 10h30 de um domingo...

Em tempo: perguntei ao meu marido, depois, quanto tempo a água quente do banho da neném levaria para esfriar sem que ele fizesse nada. "Não muito." Com banho ou sem banho, sair de casa com crianças é sempre complicado.

não se atrasar

A doença da pressa é um fenômeno contemporâneo com consequências físicas: palpitação, respiração entrecortada. Elas indicam a fronteira do normal para o doentio. É importante sobretudo para nos policiarmos quanto à origem de algo que conhecemos em maior ou menor grau: a ansiedade.

Sei o quanto essa "doença" ronda nosso papel em torno dos filhos. Você deve conhecer alguém que não deixa o filho fazer nada – vestir-se sozinho, amarrar o tênis, escovar os dentes, comer – porque está sempre com pressa ou não tem paciência para esperar. Claro que eu e você nunca fizemos isso.

Ainda que não se chegue a tal extremo, de roubar da criança o direito à aprendizagem, quem não apressa as crianças para elas saírem do carro, do banho, da frente do prato? Por que enrolam tanto as pequenas?

Quando percebi que eu ganhava míseros segundos ao repetir o comando "anda, por favor, desça do carro" para a menina, várias vezes, parei. Falo uma vez e fico olhando. Eu me seguro, com relativo sucesso. Ela acaba saindo. Por que a neura de repetir "anda, sai"? Vou chegar mais cedo a algum lugar por causa disso ou apenas dar uma contribuição desnecessária para que ela se torne ansiosa, e eu, mais chata do que o recomendado?

Estou tratando do seguinte ritual: você abre a porta do carro para a criança sair, ela desce da cadeirinha depois de pensar a respeito – porque ela pode decidir não sair –, aí abaixa para pegar não sei o que no chão; cai, levanta, olha para você a espera de um comando, ou fica parada pensando na morte da bezerra, e resolve te contar alguma coisa importantíssima antes de sair do carro. Como se não pudesse fazer tudo ao mesmo tempo, como nós! Crianças não falam andando. Elas param o que estiverem fazendo para pensar nas frases e organizar o pensamento. Isso se a criança não resolver passar para o banco da frente e brincar de motorista – situação que merece uma intervenção um pouco mais clara, sobretudo se você precisa voltar ao trabalho e não tem a vida toda para ficar dando uma de paciente.

São distinções que cada um precisa fazer na hora em que o problema se apresenta, até porque isso vai se ajustando de acordo com a compreensão dos filhos. Eu tenho me esforçado para prestar atenção à inutilidade de pedir pressa em determinados momentos. É meu pequeno esforço para não incutir ansiedade nas minhas filhas, embora eu saiba que a construção da personalidade seja algo muito mais profundo e que muito mau exemplo escapa de mim sem que eu perceba.

Muitas vezes repetimos os comandos por vício, porque estamos condicionados a isso. Ganhamos uma gota de tempo que não se soma à nada. É certo que todos temos as nossas agendas, com horários a cumprir, compromissos aos quais comparecer, consultas agendadas, telefonemas acertados. Somos adultos e responsáveis, precisamos pensar no tempo do engarrafamento, e de tudo o mais. Com isso, lá estamos nós, eternamente com pressa, apressando também as crianças.

Uma das lições mais difíceis na arte de educar é ensinar a criança a esperar. Bebês não esperam para comer. Berram. E são atendidos logo, porque ninguém aguenta ficar ouvindo aquele choro desesperado por muito tempo. Eles despejam suas necessidades nas fraldas e são limpos imediatamente – pelo menos deveriam ser. À medida que crescem, precisam aprender a se controlar, a pedir e – a mais difícil de todas as artes – a esperar.

Como podemos exigir que eles aguardem se nunca temos tempo de esperar também? Será que estamos fazendo direito?

Eu tinha ido em casa para levar a mais velha à escola. Ela gosta, e eu também. Resolvi não almoçar para não embolar o meio de campo. Enquanto nos preparávamos para sair de casa, a irmã caçula, aos 2 anos, veio se despedir, repetindo a ladainha que se acostumou a ouvir: "Anda, Lelê, qui você tá atasada."

encarar o bode depois da bronca

Sabe quando a criança trata mal a babá, tenta bater na vovó, pede pra comprar tudo no shopping, não se contenta com nada, não faz o favor nem de pegar um brinquedo no chão quando a gente pede, e você pergunta: "Caramba, criança, o que aconteceu contigo hoje?"

Explicações a respeito? Aposto no item "chamar nossa atenção", mas fica parecendo que a gente está sempre desatento. Que tanto quer chamar a atenção? "Então chega disso, ora, que não tô com paciência pra tanto, e não pode ficar tão folgada", e dá-lhe bronca, pito, lição, discurso, carinho para ver se adianta – vai que é carência –, até que a paciência esgota e você decide que não está merecendo nem história para dormir! Pronto, acabou. "Por favor, por favor", a criança implora, chorando, porque acha que chorando consegue tudo; você titubeia, o coração amolece, "só uma história, não custa nada", mas você sabe que está rolando um abuso nessa encenação toda, uma manipulação básica, já é quase meia-noite, você está cansada; não tem cabimento, ela não fez por merecer.

Aliás, pintou contigo desde que acordou, lembra? E agora está aí sedutora tentando enrolar mais um pouco, sugar você mais um tiquinho. Nessa, você contraria a criança e aquele instinto de jogar tudo por terra e fazer cafuné, porque hoje você decidiu permanecer firme na sabedoria do "hoje eu não vou ceder". É minha vez de bater o pé, fazer valer a autoridade. Um cabo de guerra que a gente atribui à educação, à imposição das boas maneiras e dos limites – porque se crescer sem limites deixará de ser fofa, então, ainda que doa, deixamos a criança chorar, e chorando ela dorme.

Quando o silêncio reina na casa, e a luz azul da parede enche o quarto de sombras maiores que os brinquedos, você afaga aquela cabecinha teimosa, beija a bochecha, acaricia mais um pouquinho, beija de novo e sussurra "eu te amo, bichinha". Vai se retirando pé ante pé, afundado em arrependimento e com uma história de fadas entalada na garganta. Sai apagando a casa e pensa "que dia, que dia", e vai escovar os dentes, meio no automático. Deita se sentindo em frangalhos, lamentando tanto tempo perdido com broncas quando tudo o que a gente planejava era se divertir. Mas crianças desobedecem, testam, provocam, e você fica se perguntando se é assim na casa de todo mundo. Quantas broncas mais será obrigada a dar para que ela entenda mais sobre a vida? Não dá para ser um deleite ininterrupto, ainda virão muitos embates. Você sabe disso e diz para si mesma "antes eu do que uma estranha ensinando essa lição", porque seria ainda mais cruel. Você tem alguma dúvida? Você deita com ressaca mental, mas amanhã ela não acordará com raiva de você. É capaz de enroscar os braços no seu pescoço, tonta de sono, e abrir o maior sorriso quando sentir as mãozinhas babadas da irmã na bochecha dela dizendo "qué, qué, qué".

não se irritar

Sabe aquele dia que calhou de você estar sozinha? Era domingo de sol. Mesmo tendo dormido pouco, e convencida de que elas abusaram da sua boa vontade na noite anterior, você resolve passear. Escolhe lindos vestidos, faz penteados e constata, surpresa, que as duas crianças ficaram prontas em quinze minutos, o que te dá tempo até para você passar um rímel e um batom, desfazendo aquela impressão de mulher sem tempo que você tem de si mesma. Elas colaboraram. Enfim, vamos passear. Você resolve ir à missa, porque a família não pisa numa igreja faz tempo, mas você resolve ir à missa no Domingo de Ramos, quando a cerimônia se estica por uma hora e meia, e percebe que mandou mal, mas vovó está lá, feliz por ver as netas tão lindas, de vestidos e penteadas. A vovó fica muito feliz. Você escolhe outro lugar na igreja para dar chance às meninas de andar de um banco para o outro sem perturbar (demais, você pensa) os outros, e uma hora já se passou. A missa não dá sinal de que vai acabar, mas você dá sinais de cansaço, de fome e pensa que, não demora muito, elas também darão sinais mais preocupantes; é melhor ir embora. Despede rápido da mãe, que insiste: "Fica mais um pouco." "Não dá, não tá vendo que elas não param?", você diz. Na intenção de sair discretamente, com a mais velha protestando, porque queria ouvir mais da bateria, você pega a pequena no colo enquanto ela grita bem alto "Tchaaaaau menino, tchaaaaau missa", e você passa fingindo que não vê as outras pessoas encarando a zoeira.

Você chega no carro, e as duas resolvem entrar pela mesma porta. A mais velha ainda protesta: "Eu queria ver mais da bateria." "Anda, filha, que já tá na hora do almoço, teu pai vai chegar de viagem e precisamos comprar comida ainda", você vai falando enquanto tenta fechar o cinto da pequena que resolveu achar tudo sempre apertado. "Tá petado, mamãe", ela começa a reclamar, enquanto a mais velha, hesitante, vai para a própria cadeirinha, e um sujeito do lado de fora aparece pedindo ajuda para o almoço. Só que do lado de dentro o tom da neném piora, porque agora ela cismou que o cinto "tá apetado, mamãe", mas não está apertado nada, dá para enfiar uma boneca tamanho GG entre ela e o cinto da cadeirinha. Você liga a música. Demora, mas as crianças se acalmam e você pega o caminho da rotisseria onde compra o nhoque sem lactose. Estaciona. A mais velha se solta, solta a irmã e as duas se escondem atrás dos bancos, no chão do carro, para facilitar as coisas, só para você ter que falar: "Meninas, saiam, venham aqui, anda, daqui a pouco todo mundo vai ficar com fome." Você fala isso torcendo pra ser daqui a pouco mesmo, porque você já está com fome, talvez porque o café da manhã tenha sido corrido na intenção de atendê-las.

Finalmente vocês estão na lojinha, você cumprimenta as moças, já conhecidas, as crianças repetem o bom-dia, encantam as vendedoras, "são encantadoras", você pensa e sorri sem ver que elas já estão mexendo no que não deviam. Você segue adiante com os pedidos, pegando os produtos da prateleira até mandar a mais velha descer da cadeira alta, porque a irmã vai querer imitar e você não pode ficar lá segurando a pequena, porque tem que comprar e pagar pelas coisas; mas a mais velha ignora seu pedido, e o jeito é você arrastar uma daquelas cadeiras altas para perto de você, onde a pequena já está se achando o máximo por ter imitado a irmã. Tudo bem, criança é assim mesmo. Você resolve brincar "quem vai comer nhoque levanta a mão", a bebê levanta a dela e grita "eeeeu", todo mundo ri, até a irmã. Daí elas resolvem se despencar para o chão e se arrastar embaixo das mesas, que têm tampos de vidro, e nem adianta você pedir para sair, ninguém te ouve. Você vai lá e tira uma, tira a outra, mas uma já voltou para onde não devia, e você vai se irritando com aquilo e avisa "olha só, é para me obedecer, eu estou pedindo, por favor". Tem gente te vendo, mas você parece estar falando sozinha; e temporariamente desiste da batalha para passar o cartão de débito na máquina, e confia que acidentes não podem acontecer enquanto você cumpre seu papel de cidadã, pagadora de impostos e dona de casa provedora de comida. Quando você conclui a operação "comprar almoço para toda a família", e os lindos vestidos já estão condenados à máquina de lavar, você sai andando. Chama as meninas, mas é ignorada, de novo. Hoje você não está a fim de ficar repetindo tudo toda hora, "que saco", e como você está com uma mochila atravessada e uma bolsa de comida em cada mão, além da chave do carro, você conta com o bom senso daquelas pequeninas e chama mais uma vez: "Mamãe não pode ir aí pegar vocês, por favor, me acompanhem." "Queremos ficar aqui", diz a mais velha, a porta-voz oficial das besteiras da dupla; não adianta sair andando. A mais velha grita "mamãeeeee" e entra na loja; você volta um pouquinho pra checar o que aconteceu, afinal, você ainda está a menos de 50 metros da loja, e em vez de duas crianças desesperadas correndo para te acompanhar, você encontra as duas distraídas com não sei o quê na rotisseria. Até que, do nada, elas resolvem ir com você, para recomeçar toda a novela de botá-las nas cadeirinhas, com a menor reclamando que "tá apetado". "Não, Carol, não está apertado." Nesse momento, a mais velha começa a falar que quer comer nhoque, mas estamos no carro ainda, "calma, nossa casa está a dois minutos daqui". Pra quê! As duas resolvem chorar, uma reclamando que "tá apetado" e a outra por outro motivo qualquer, "ah, não é possível, gente. Que isso!?"

Você entra na garagem, estaciona, elas já pararam de chorar e parecem ter esquecido o motivo do choro, porque ninguém sai do carro, mas algo dentro de você ainda borbulha impaciência; até que o celular toca, o marido chegou, está no aeroporto vindo para casa, mas não adianta atender na garagem porque não tem sinal, "anda meninas, é o papai, corre, vamos para a porta do elevador para eu poder falar com ele", mas ninguém te atende. A ligação cai, você tenta tirá-las do carro com a mochila, as compras, e o celular toca de novo, mas a ligação cai antes de você chegar ao elevador com a menor chorando no teu colo, porque não queria ter saído do carro. E quando o telefone toca pela terceira vez, você atende, mas em vez de falar com ele, grita com as crianças porque elas estão correndo pela garagem, e garagem não é lugar de correr, você cansou de repetir isso, "droga, é perigoso, para", mas claro que pode piorar.

Quando você abre a porta da casa, as duas estão chorando, com fome, lógico, pedindo nhoque, que está congelado. Você sai despejando mochila no forno, nhoque no chão, sapato no banho e convoca todas para a porta. É preciso ganhar tempo e você não pode fazer milagre, tem que esperar o nhoque descongelar, e isso vai levar pelo menos meia hora, "eu não posso me transformar num nhoque quente assim ó 'pum!'", você fala com ironia, mas acaba fazendo cara de nhoque. E num é que funciona? A mais velha ri, e a pequena para de chorar para entender o motivo da gargalhada da irmã. Era o tempo necessário para você enfiar as duas no banho; banho acalma, deixa você úmida, o cabelo horrível, estraga o rímel, além da banheirinha de plástico que já está muito pequena para as duas, daí uma reclama do pé da outra, "tá no bumbum, tilaaaaaa". Por que você deu a outra banheira? A mais velha reclama, e você pensa, "porque eram dois trambolhos", ora; "tila o pé, Lelê, tila o pé". Você acha melhor encerrar o banho. "Que irritação é essa, meu Deus?". Agora ninguém quer sair do banho. E a fome? Vai entender. A mais velha pergunta pela babá, e você afunda, arrasada, em si mesma. "Hoje é domingo. Por quê? Por que você pergunta?". Ela se cala, não diz, e você confessa, "tá bom, hoje estou impaciente, mas vocês não estão me ajudando. Você sempre preferiu tomar banho comigo. Vamos lá, vocês não queriam nhoque?". É difícil concluir isso. Há protestos, choro, reclamações "eu primeiro, eu primeiro", e mãe-polvo, de TPM, ainda tenta pegar as duas no colo ao mesmo tempo, enroladas na toalha. "Por que eu faço isso? Para me superar ou quebrar de vez?", você se pergunta.

Sem entrar no detalhe de como está difícil colocar uma fralda, uma roupa, secar atrás da orelha, pentear dois cabelos, tascar meia no pé porque ninguém para calçada, e servir um nhoque parcialmente gelado para terminar de descongelar no micro-ondas mesmo, o que não ajuda a obter o melhor resultado. Você senta o pessoal pra comer, elas comem assim mesmo, e o marido chega e te pega desarrumada, de novo. Você já está sorrindo. Ele chegou. Aos poucos, a irritação vai se esvanecendo, as meninas comem, vocês comem, você brinca com elas, vocês descem, andam de bicicleta, e vocês voltam a gargalhar juntos. No fundo, você está com um pouco de vergonha por tudo que sentiu, porque poderia ter sido uma pessoa melhor, mas não foi.

manter a rotina

Era minha segunda viagem internacional a trabalho em menos de dois meses. Uma coincidência ruim para as crianças e ainda mais doída para mim. Mas era preciso cuidar da profissão também. Lá fui eu sair de cena novamente.

Quando abri a porta, na volta, Letícia veio correndo. Estava com vestido de festa, faltando meia hora para ir para a aula. Havia balões desenhados pela sala e um bolo caseiro de chocolate em formato de coração. Nos abraçamos. Fiquei um tempo olhando aquele rostinho cheio de novidades para me contar. Em seguida, apareceu Carol, com longos cabelos caindo no rosto, andar desengonçado, sem saber se me abraçava, balançava os bracinhos, ou se me contava alguma novidade também. Tentou então imitar a irmã repetindo as últimas palavras de cada frase ouvida. "Vem, filha, dá um upa." Ela deu. Fiquei no chão, ajoelhada, segurando aquelas duas criaturinhas afoitas e excitadas com a minha chegada. Eu nem podia falar de tanto barulho que faziam. Também não conseguia ir ao banheiro, nem lavar as mãos. Não podia fazer nada, a não ser contemplar e tentar ouvir o que ambas me contavam de forma desencontrada e simultânea.

Mas eu ainda tive que correr. Fazer uma tirar a roupa de festa e botar o uniforme. Convencer a outra de que eu precisava providenciar minha ida ao banheiro. Tentar almoçar para descansar, nem que fossem cinquenta minutos, antes de uma entrevista no final do dia. "Uma injustiça", eu pensava, "não poder me enrolar nelas e ficar brincando o dia todo para compensar minha ausência". "Um ser humano horrível estou sendo", me dizia a consciência, martelando culpa dentro de mim. Mas fazer o quê? Compromissos são compromissos. Havia um ministro me esperando com hora marcada. Vida de repórter.

Eis que o dia acaba, e eu retorno arrastando meu corpo atrás do meu coração despedaçado de saudades. "Temos um filme para ver, mamãe", dizia Letícia. "Quer bincar comigo, quer?", repetia Carol. Já passava das 21h, e tentamos manter o script, apesar da minha fadiga. Estava na hora da pequenininha dormir. Com o pai, no quarto, ela gritava. "Mamãeeeee." Eu estava sentada com Letícia no sofá dando início ao filme quando me toquei: por que manter o roteiro?

Papai e neném se juntaram a nós, e a sala se encheu de alegria. Foi impossível ouvir os diálogos do filme. Carol cantava o tempo todo. Letícia mantinha os olhos em mim, mais interessada nas minhas reações do que na história do desenho, seu velho conhecido. Cada vez que eu ria, ela ria também, autorreflexo do espelho chamado filha. "Muito engraçado, não é mamãe, muito engraçado." E Carol nos buscava com o olhar, fazendo sua dança de pijama, rodopiando bêbada diante de nós, até cair tonta no tapete de libélulas. Satisfeitas, dormiram bem tarde, mas sem protestar. A gargalhada me deu fôlego extra para completar mais de trinta horas sem dormir. Quando deitei a cabeça no travesseiro, satisfeita com minha volta à casa, eu vi como é bom deixar o script de lado.

estar só

Mãe nunca está só. Pelo menos mães de crianças pequenas. Aonde a gente vai, tem um pequeno atrás. Nem no banheiro a gente fica em paz. "Tranca a porta", você me diz. Eu até tranco, de vez em quando, mas quando rabicho vem atrás a gente não fecha a porta no próprio rabo. E se tranco, tampouco fico isolada. Aparecem bilhetinhos sob a porta, brinquedinhos, cabelos. Você leu certo, aparecem mechas de cabelos pretos e lisos sob a porta.

– Letícia, LEVANTA DO CHÃO! – Minha voz ecoa forte debaixo do chuveiro, e a risadinha vai se afastando da porta.

No parto, quando cortam o cordão umbilical, a natureza compensa a agressão imantando a criança e fazendo da mãe um polo magnético. Só descobrimos isso na prática, ao perceber que aquele bebê vai crescer, mas continuará preso a gente, nos seguindo por onde vamos, ou sendo levado para toda parte.

Você está de licença-maternidade, cheirando a golfadas e com olheiras no pé, torcendo para chegar o exército da salvação. Mas aí você resolve se arrumar um pouquinho antes que a tropa de choque chegue. Ora, o marido não é obrigado a te encontrar desse jeito todo dia. Você esqueceu de combinar isso com a criança, que não dorme, e a hora passa. Qual a saída? Amarrar o filho no bebê conforto e deixar ele lá no banheiro de plateia enquanto você toma banho rapidinho. Olha o hábito fazendo o monge, desde pequeno.

Você está só em casa, e tem um bebê que engatinha para lá e para cá. De repente, a necessidade urgente de ir ao banheiro. O jeito é levar o neném contigo e fechar a porta para ele não fugir. Simples assim. Se bobear, você ainda segura ele no colo enquanto dá conta do que tem que fazer. Isso ninguém mostra nos comerciais de margarina.

– Eu quelo vê você fazê xixi!

Essa aí é minha filha Carolina, de 2 anos, deixando claro o que prefere fazer de manhã – logo após me acordar –, em vez de me esperar deitadinha na cama. Pegaria bem acrescentar essa cena ao comercial das minhas manhãs felizes? No banheiro, ela fica se esgueirando na parede em busca de um assunto qualquer para conversar. Rola um papo cabeça, às vezes.

– A minha cabeça não sai – ela diz, apertando as orelhas com as duas mãozinhas, como quem tenta desatarrachar o pescoço.

– Não, filha, só a cabeça da Poly, que você arranca. Por que você arranca as cabeças da Poly?

– Porque ela pode nadar sem cabeça.

Por que nunca pensei nisso antes? E lá vamos nós juntas e sonolentas para a cozinha dividir tarefas da manhã preguiçosa: eu me encarrego das frutas e do leite, enquanto ela derrama farinha láctea (ou melhor, "láctica") dentro e fora do copo, antes de eu bater tudo com o mixer. Sentadas no sofá, silenciosas e cúmplices, ela mama, e eu espero até aparecer o resto da família, e a gente brincar, eu sair para trabalhar e o dia tomar seu curso, como um rio de águas tumultuadas.

Essa companhia constante, espontânea e gratuita é o que acontece em boa parte do meu tempo em casa, do momento em que acordo até a hora em que elas se deitam. Filhos foram a inspiração primitiva do Twitter porque são seguidores fiéis e incondicionais.

Tenho plena noção de que esse interesse tem prazo de validade. À medida que crescem e estabelecem vínculos sociais mais fortes, o mundo se torna uma concorrência desigual. É assim que deve ser e assim será.

Enquanto isso, aproveito o melhor dessa ausência de solidão forçada, porque mãe é assim: não tem sossego nem para tomar banho. Uma falta de paz que torna tudo mais divertido e engraçado, à exceção, claro, daquele dia em que você vai reclamar que não consegue fazer nada sozinha – nem ler jornal! –, quando o desavisado do marido parar rapidinho ao seu lado para checar a manchete da primeira página.

Talvez por estar ciente da temporariedade disso tudo, eu tenha me acostumado com a ideia de não trancar mais as portas por onde passo. A luz da infância que projeta minhas pequenas sombras é como o alvorecer de um dia. Quando o sol estiver a pino, não as perceberemos mais, embora elas estejam lá. Isso explica o porquê de eu abrir mão da solidão para, vez ou outra, ser espiada por uma curiosa plateia mirim atrás do vidro embaçado do meu chuveiro, enquanto tomo banho. Observá-las é uma troca. Aprendo muito sobre mim mesma.

Dia desses, de manhã, em que uma virose sem nome veio me arrasar, a pequenininha chegou no nosso quarto para dar um bom-dia, como faz sempre, mas saiu de lá com o pai. Ainda com a testa doendo e as pernas pesando demais, ouvi, de longe, o seguinte diálogo:

– Vem, Carol, deixa mamãe dormir, porque ela tá meio dodói – sussurrou o pai.

– Eu quelo vê a mamãe mimindo – respondeu a criança, impaciente.

– Mamãe tá tossindo, ó, precisa descansar.

– Eu quelo vê a mamãe tossindo!

Se depender delas, mamãe não pode nem tossir sozinha. E isso é muito, muito bom.

ter sossego

Sossego? Daquele de descansar corpo e pensamento? Nunca mais. Estamos na temporada de tosse e é um tal de dar xarope para uma, meter a colher na boca da outra, pegar as gotinhas, as vitaminas, os copos d'água. A solução foi botar tudo numa bandeja, com mulher e marido de um lado para o outro, sem saber o que fazer primeiro, porque mal acabou o café da manhã, já tem o banho para dar, pega uma, manda a outra entrar junto no chuveiro, "que mania de não querer tomar banho junto quando precisa", separar as roupas, arrumar os quartos. Chegou o almoço, mal acabou e tem o lanche, alguém grita do banheiro "acabei!", precisa ir lá limpar. Alimenta uma, alimenta a outra, troca a roupa porque sujou, manda calçar, chama para escovar os dentes, recruta uma, sequestra a outra, e todas protestam, porque todo mundo só quer brincar, mas você, que mal sentou, já se levanta, porque alguém gritou do banheiro "acabei!". "De novo?", e eu penso que não tem outra coisa a fazer na vida se não dar comida e limpar bumbum dessas meninas! O que está havendo? Falta ajuda. Pais precisam de ajuda: juiz, intermediário e bandeirinha para indicar impedimento quando elas cruzarem o sinal. E como seria bom dormir nessa tarde chuvosa de domingo com preguiça de pensar, mas "não tem um dever da escola para ver?", pergunta a mãe. "Vem cá, menina, para pentear os cabelos, traz o pente para a mamãe, porque tá tudo bagunçado", e a cabeleira despenteada corre para longe de você, e você vê que restaram unhas para aparar, orelhas para limpar, até a criança pedir sua ajuda para pegar o brinquedo, voltar a jantar, botar o pijama, escovar os dentes e, no fim da batalha possível, entregar-se para dormir. Amanhã tem mais.

aproveitar o sossego para relaxar

À medida que os filhos crescem, recuperamos parte do tempo dedicado a eles para nós. São conquistas muito sutis. O banho já não dura mais cinco minutos; quem sabe sete? As refeições começam a sofrer menos interrupções e se rolar um "manhêeee, acabeiiiii", como de praxe, você tem a opção de responder "se limpa aí, vai", mesmo correndo o risco de encontrar torneira pingando e um metro e meio de papel higiênico atravessando o chão do banheiro.

Com o avançar da idade das crianças, programas impensáveis começam a fazer sentido. Tem alegria maior para um pai torcedor do que levar o moleque ao jogo? Isso é um deleite que só o tempo, sábio e safado, traz. E quando rola uma festa do pijama justo na sexta à noite, dia para um programa adulto, mas não havia ninguém para olhar a gurizada? Bênção. Eu, infelizmente, ainda não usufruí dessa coincidência feliz, porque a caçula é muito pequena para tanta liberdade. Corro o risco de termos que ir buscá-la de madrugada por causa de saudade. A minha saudade. A não ser que a festa do pijama seja na porta ao lado, mas isso aqui não é indireta para os vizinhos.

Mesmo sem festa do pijama que sirva para as duas filhas, sinto que minha liberdade retorna aos poucos para mim, como sobras de um banquete que não terminou.

Naquela tarde de domingo, tudo estava tranquilo em casa. Crianças brincavam juntas. O marido assistia ao jogo. O sol da primavera entrava pela janela com o canto dos bem-te-vis. A cama desafiava meu cansaço: dormir ou ler?

Dormir seria ousadia demais. A Lei de Murphy no artigo sobre mães de crianças pequenas diz que, se você adormecer sem ter elaborado um plano de comum acordo com os demais integrantes da casa, a chance de ser acordada nos primeiros dez minutos da soneca é altíssima. Mãe dormindo desperta necessidades adormecidas nos filhos, como fome, sede, sono, carência, dor no dedão do pé. Melhor ler. É menos arriscado. Eu me recostei nas almofadas e senti, como poucas vezes, meu corpo se entregando ao colchão. Parei para apreciar ao longe o canto dos passarinhos e pensei em chamar as crianças para ouvir também. "Não!", gritou minha consciência. "Que mania! Comece a ler." "Mas eu estava apenas curtindo este momento", pensei, tentando me justificar.

Não ouço as meninas. Estranho. O que estarão fazendo? Retomei a leitura. Parei sem concentração. Elas crescem, interagem, e instantes como este, de solidão com os pensamentos, começam a acontecer com mais frequência. Mesmo raros, brindam inesperadas tardes silenciosas. Não temos compromissos, hora, obrigações, nada. Estico os lábios num sorriso tímido de satisfação. Olho de novo pela janela. Os passarinhos continuam cantando. Devem estar felizes como eu. Leio. Minha mente foge, encantada com a harmonia e a quietude das crianças. Quando tudo é paz, a mente moleca agita. "Shhhhh." Tento em vão acalmá-la. Mas que estarão fazendo essas crianças?

Outro dia fizeram desenhos rupestres com giz de cera no chão da varanda e acharam o máximo ter que limpar depois. Estarão brincando com água, molhando o banheiro todo? Ameaço levantar, mas minha consciência intervém novamente: "Para com isso! Você não precisa ir lá checar. Se você aparecer, é capaz de estragar tudo. Elas começarão a disputar sua atenção e já era o momento só seu. Anda, volte a ler."

E assim, dessa batalha íntima entre resistir e me entregar à tentação de ver o que afinal de contas estava deixando as crianças tão quietas, vence a leitura. Onde eu estava mesmo? Melhor voltar ao início do capítulo para entender melhor o que estava lendo.

"Uóóóóóóóóó." Duas meninas entram correndo quarto adentro. A mais velha imitando a sirene de uma ambulância empurra a irmã (com cara de vítima), sentada no carrinho de boneca. "Caramba", penso, "como essa geringonça de plástico ainda não quebrou?" Não digo nada. Apenas observo a ambulância frear e estacionar diante do espelho.

– Uóóóóóó. Irrrrrrr (barulho de freio).

Pesco o seguinte trecho do diálogo que segue.

– Meu Deus, Carol, isso parece grave! – anuncia a menina de 7 anos.

– É grave? – pergunta a pequena, de 4 anos.

– Mamãaaaaaeeee – a criança grita, a um metro de mim.

– Hum?

A dez centímetros de distância, a paramédica mirim observa o lábio rachado e seco da irmã.

– Temos que botar um band-aid nisso! – propõe a socorrista na ambulância improvisada.

– Filha, não se coloca band-aid na boca – intercedo, antes que a ideia de jerico prospere.

– Mamãe, é grave? – pergunta Carol.

– Não é grave. É só um lábio rachado. Mas não é para botar band-aid, ok? – digo, dando a segunda opinião médica para o caso. – Passa manteiga de cacau fingindo que é remédio – receito, enfim.

Os olhos da pequena se iluminam. Os da mais velha escurecem, decepcionados.

– Eu posso também?

– Pode.

– Mas é manteiga... – ela diz, quase miando.

– Não é manteiga de leite, é de cacau, e cacau você pode.

– Oba! – ela responde, exultante com o tratamento liberado. Depois elas pedem pra pegar algodão molhado e desistem do band-aid. Um curativo de mentira é feito, e a ambulância vai embora com a paciente lambuzada de manteiga de cacau junto com sua enfermeira que, solidária, passou antes em si mesma o remédio receitado.

– Uóóóóóóó.

O motivo que leva as mães a não saberem aproveitar seus raros momentos de quietude e solidão ainda são desconhecidos, mas os casos descritos são muitos. Uma amiga não via a hora de usufruir do primeiro fim de semana inteiro sem marido e os três filhos. A pressão era grande e vinha dos amigos, dos colegas de trabalho e da própria família. "Aproveita, aproveita!". Ela não só não soube o que fazer o dia todo sem os quatro, como teve insônia e amanheceu um bagaço no dia em que eles voltaram para casa. Outra amiga caiu doente na primeira semana de férias do filho com o pai, de quem é separada. Uma outra amiga, professora universitária, relata dificuldade semelhante quando viaja para um congresso a trabalho. Liga toda hora para casa e não relaxa.

Desprender-se da rotina alegre, barulhenta e estafante em torno dos filhos é como um mergulho em profundidade. Não se pode começar a aventura já pensando em emergir. Nem se deve afundar sem certo preparo. É útil saber o que se vai encontrar lá embaixo. Levamos um tempo para nos acostumar ao silêncio dos peixes, à falta de algazarra no fundo do mar, onde a luz do sol chega fraca. Da mesma forma, deveríamos retornar aos poucos à tona, esperando o corpo se acostumar com a expansão das demandas que, como o oxigênio sob pressão, estavam temporariamente comprimidas durante o mergulho na solidão inesperada.

Mergulhar rápido demais nessa paz, ou dela sair de supetão, provoca uma espécie de embolia nas ideias. Obstrui nossa capacidade de aproveitar. Dá tilt. Vai entender.

esvaziar o quarto de brinquedos

A primeira vez em que vi com olhos críticos o quarto de uma criança lotado de brinquedos, fiquei impressionada. A quantidade de besteira, peças perdidas, pedaços de coisas inúteis, papéis desenhados e estantes lotadas de jogos, quebra-cabeças e bonecos me parecia obviamente uma falta de controle dos pais. Por que um ser humano tão pequeno precisaria de tanta coisa? Culpa dos pais. Eu tinha 19 anos e engravidar era um plano tão distante quanto pegar um voo espacial. Eu não sonhava em ser mãe, nem astronauta.

Quando eu tive a primeira filha, treze anos depois, me mantive fiel à teoria do menos é mais. O quarto de Letícia parecia um show-room de decoração: uma pequena cômoda com trocador e gavetas quase vazias, uma mesa mínima com um abajur, uma cadeira de balanço e um armário de duas portas esparsamente recheado com roupas penduradas. Nada ali era exagerado. O único objeto identificado como brinquedo era o móbile. Eu jamais deixaria aquele absurdo de quarto transbordando de brinquedos acontecer. Quando Letícia tinha apenas 1 ano, nos mudamos do Rio para Brasília, e as caixas empilhadas com o conteúdo do apartamento e o orçamento da firma de mudança me diziam que a gente tinha mais coisa do que eu imaginava. Na hora de arrumar tudo no lugar, tive essa certeza. Havia coisas demais na nossa vida, embora o quarto da criança permanecesse aparentemente vazio. Mas isso era uma questão de tempo. Pouco tempo.

Letícia cresceu, Carolina nasceu, vieram aniversários, Natais, Páscoas, Dia das Crianças, visitas de familiares (que sempre chegavam com um presente), compras, e assim entramos para o clube dos pais que perderam o controle sobre o estoque de brinquedos guardados em casa. A noção do que se passava dentro de dois armários e uma estante só veio à tona na mudança de volta para o Rio, cinco anos depois. Eram caixas demais para despachar no caminhão.

Ganhamos um empurrão do destino para nos desvencilhar do desnecessário. Doamos brinquedos indiscriminadamente. O critério número um de escolha era volume. Quadradão com peças de encaixar medindo 60 cm de altura por 60 cm de profundidade? Eu e meu marido nos olhamos em dúvida. "Elas gostam, mas é grande demais." Então fica. Os julgamentos eram sumários. Sapo de pano medindo aproximadamente o tamanho de uma criança de um ano? Doação. Bolas com 70 cm de diâmetro dadas de presente em festas? Não dá nem para embrulhar. Cadeirão para refeições de um metro e vinte de altura? Hora de a criança se sentar à mesa com a gente.

– Mas ela só tem 2 anos – alguém argumentou.

– Pode dar, a gente se vira.

Jogo que apita e toca música enquanto um vento lança bolas no ar, medindo 40 cm de altura, 50 de largura e cheio de partes quebráveis? Trambolho! Doação. E assim enchemos cinco grandes caixas de papelão com ótimos presentes para crianças da capital federal. Fizemos o mesmo com pilhas de livros, doados para escolas. Nos sentimos leves. Queríamos viajar com a roupa do corpo.

As crianças foram consultadas em alguns casos específicos, mas seria impossível contar com a aprovação delas para nos desfazermos de tanto brinquedo. Outro critério utilizado foi o desinteresse delas. Se nem elas ligavam mais para o negócio, era caso irrevogável de doação. O único problema dessa estratégia é ter que lidar com a oscilação do interesse infantil. Em algum momento, ela vai sacar do fundo do baú de sua memória o desejo de brincar com aquilo que você deu.

– Mamãe, você lembra daquele quadradão que eu guardava uns brinquedos pequenos dentro e que tinha chave para trancar? – me pergunta um belo dia a menor.

A saída é se fazer de desentendida e botar na cara a mesma expressão intrigada da filha questionadora.

– Quadradão, quadradão... Ah, um vermelho? É mesmo! Engraçado, ele não veio na mudança?

viajar ou ouvir 500 vezes "falta muito?"

"Meias, protetor solar, boia de braço... Antialérgico! Sabia que eu tinha esquecido alguma coisa, o antialérgico", digo, depois da retrospectiva mental torturante que insisto em fazer depois de empacotar tudo às pressas. "Pra quê?", quer saber meu marido. "Para uma família de alérgicos, ué", digo, "mas deixa pra lá. Ninguém vai precisar". Cruzamos o túnel, e a filha caçula pergunta se falta muito. Faz dez minutos que saímos de casa. "Cacá, não começa", diz o pai. "Carol, ainda estamos no Rio", diz a filha mais velha, cheia de experiência do alto de seus 8 anos. Bem, é o dobro da irmã, faz alguma diferença. "Estamos combinados que não vamos nos irritar quando elas começarem a brigar, certo?", sussurro para meu marido. Elas andam muito implicantes. Implicam uma com a outra o dia todo. "Princípio dos Zangados Anônimos comigo", me responde ele, bem-humorado, citando a recém-criada irmandade da qual só ele faz parte. O requisito desse grupo de apoio de um homem só é a vontade de parar de se irritar com bobagem.

Para ficar mais elaborado, propomos apenas quatro passos básicos:

1) Admitimos que somos impacientes com a teimosia infantil;
2) Acreditamos que dentro de nós há força suficiente para nos devolver toda a paciência necessária;
3) Confessamos nossas falhas;
4) Depois de um destemido inventário moral de nós mesmos, concluímos que, em nome do amor, tudo pode ser dito sempre da melhor maneira, e não no modo zangado.

– Já estamos na estrada?

– Não – respondo, com o Sambódromo ao lado esquerdo da janela.

– Gente, o que tá acontecendo aí atrás? – pergunto, me virando pela direita, porque acordei com torcicolo, ombros tensos, músculos doendo.

– Ela pegou meu brinquedo!

– Para de pegar o brinquedo dela.

– Mas é meu!

– Gente, olha a bobeira.

A discussão inútil segue, vira gritaria. Uma puxa o cabelo da outra. Bronca. Silêncio.

– Olhem as nuvens, olhem. Vocês estão perdendo – tento desviar o foco.

– Dois golfinhos! – uma diz que viu.

– Um hipopótamo de cabeça para baixo!

– Aquela parece uma boca gigante!

– Um coelho falando!

– Nuvem com som nunca vi!

O jogo de criatividade e imaginação segue até o estresse seguinte.

– Para de olhar pra mi-nha nu-vem!!!

– A nuvem não pode ser sua!

A briga quase recomeça. Entro na brincadeira com uma tática diversionista de novo.

– Vejam aquela! Igualzinho a um avião!!!

– Mãe, aquilo é um avião!

– Ah, bem que eu achei perfeita demais.

– Mamãe! E agora, falta muito?

Já foi pior. Fizemos viagens em que elas não só perguntaram o tempo todo se faltava muito, como brigaram a maior parte do tempo.

– Estrada! – o pai anuncia.

Ouço vivas do banco de trás.

– Bota a música de viagem! – diz Lelê.

A trilha sonora que elas pedem é America, de Simon & Garfunkel. *Laughing on the bus, playing games with the faces* ("Gargalhando no ônibus, brincando com o rosto") o rádio toca, o embromation infantil corre solto e quem ri no carro é a gente.

– Eu quero fazer xixi!

Não tem acostamento, não tem lugar para parar.

– Estamos numa via rápida – eu explico. – Aguenta aí.

Mas quem disse que ela quer aguentar? Tira os ombros do cinto da cadeirinha, mando botar, o pai manda botar, a irmã entrega. Ela continua sem. Viro para o lado que o torcicolo deixa.

– FILHA...

E a filha reclama. A outra diz que está ficando chato. *Shuffle* no ipod. Músicas aleatórias. Entra um samba. *Vai passar*, de Chico Buarque. Nos empolgamos na cantoria e caprichamos no refrão.

– Ai que vida boa, ô Lelê! Ai que vida boa, ô Cacá!!!

Elas se olham surpreendidas.

– É assim?

– Mais ou menos.

E tentam acompanhar.

Hora de parar para o xixi e um croquete.

– Quero um cróqueti!

– Não é cróqueti. É cro-que-te!

Levo a mais nova comigo para o banheiro. Escuto a faxineira comentar com uma cliente a porcaria que estava lá, urina na tampa, sinais de menstruação pelo chão, incrível como as pessoas são porcas. Falta de delicadeza, cuidado com o outro. Buscamos a última cabine. Parecia limpa, chão molhado. Seco a tampa da privada, preparo a capinha de plástico. A menina resolve apoiar o brinquedinho em cima da papeleira. Pego o negócio e boto na minha bolsa.

– Não tira dali! – ela protesta.

– É pra guardar melhor, filha. Aí pode cair no chão, é pior. Não mexe na minha bolsa, espera aí.

Enquanto eu forro a privada, ela não espera e mexe na minha bolsa e tudo (eu disse, tu-do) cai no chão. Não num chão qualquer. No chão de um banheiro público. No chão de um banheiro público de beira de estrada. Quase em câmera lenta, acompanho meus pertences baterem na beira da privada e caírem no chão, como uma bola na trave. Dois foram parar na água, meu rinosoro e o tal brinquedinho. Ela chora por causa do brinquedinho. Eu brigo. Eu brigo de novo, e aí ela chora por causa da briga.

– Eu não acredito no que você fez, Carol, eu não acredito – digo alto. A irritação e o nojo me tirando do sério. – Olha o que você fez!

Do lado de lá da porta, a faxineira me consola.

– Deixa, senhora, que eu limpo!

– Não é de limpar. Tudo meu caiu no chão.

– Eu pego.

– Tem coisa dentro da privada.

Examino rápido o chão. Está molhado. Essa água... Que será isso, meu Deus?

– Nem sei o que faço. Olha isso! – digo para Carolina, buscando entre os troços espalhados o que eu poderia descartar de cara.

Do canto da cabine apertada, ela me olha quieta, calcinha abaixada.

– Você precisa parar com essa mania de fazer exatamente o contrário do que a gente pede. Pode ser perigoso um dia! Não dá – digo, secando como posso as coisas e enfiando tudo na minha bolsa de volta. Nojo.

Pego emprestada uma luva com a faxineira, e jogo fora o rinosoro e o brinquedinho.

– Me dá! – ela pede e chora.

– Claro que não. Já era. Uma caixa de papelão que molhou toda com a água da privada... Nem pensar.

– Mas tinha coisa dentro.

– Agora já era.

– Vai crescer e fazer menos besteira – diz a faxineira, mãe de seis, dois gêmeos.

– Eu sei, eu sei, mas isso de fazer o oposto do que a gente diz tá passando um pouco da conta, se a senhora me entende – respondo, sabendo que ela deve estar me achando o fim, a impaciente.

– Criança. Criança é assim. E ela é bebê, quando crescer...

– Eu não sou um bebê! – reclama Carol, entrando na conversa sobre ela.

Findo o processo no banheiro, voltamos para comer o croquete. Eu, ainda chateada. Ela, calada. Conto o que aconteceu para o meu marido.

– Ela tem que parar com isso. Um dia pode ser perigoso – ele diz.

Não, nós não ensaiamos essa frase. Letícia, a mais velha, tenta mudar o clima.

– Gente, vamos sorrir? Estamos de férias!

Esboço um sorriso, porque ela tem razão e, além do mais, sem combinar, ela também está me repetindo. A menina exibe um astral ótimo. Parece a mais paciente de todos hoje. Quer ver o mapa, as cidades que vamos cruzar, saber quanto falta e onde estamos o tempo todo.

– Vou aderir aos Zangados Anônimos – aviso ao meu marido.

A gente ri.

– Bem-vinda.

"Pelo menos minha bolsa não estava cheia", penso, já bancando a Poliana.

Os croquetes chegam, elas querem experimentar catchup.

– Eu posso? – pergunta Letícia, intolerante a lactose.

– E eu? – diz a cópia.

– Sim, podem, mas não assim, Carol! Isso não é mel – digo, tirando da boca da criança a bisnaguinha de catchup. – Porcaria, filha.

A mesa tem um dispositivo para chamar o garçom. Elas querem apertar o tempo todo e inventam necessidades.

– Agora eu quero água.

– Posso pedir outro cróqueti?

– Croquete.

Voltamos para o carro e a viagem segue. Paisagem verde, "mas não tem vacas", reclama a mais velha. O pai explica:

– Não estamos na temporada de vacas.

– Falta muito?

– Sim.

– Onde estamos?

– Na estrada!

– Mãe...

Alguém está enjoada. Alguém pede música. Alguém não quer mais ouvir música. Alguém continua com o pescoço doendo.

– Falta muito?

Aponto para a mais alta e distante montanha da serra azul, vista no horizonte.

– Tá vendo aquele pico lá?

A filha interessada em tudo arregala os olhos.

– Falta muito pra chegar lá, não é?

Ela sacode a cabeça, um tanto decepcionada.

– Mas nós não vamos pra lá.

– Ah, que susto!

Viajar é ótimo, com a família, sempre uma aventura. Eu não sei se vou descansar. Não é o melhor termo quando se está acompanhada de gente pequena repleta de energia. Mas quem está preocupado com isso? Meus olhos ganham um brilho diferente, o branco fica mais branco e tudo vai ficando mais leve.

Nosso destino se aproxima, e vivas explodem do banco de trás. Vamos espairecer, esse é o verbo. Enquanto escrevo esta coluna, elas tentam chamar minha atenção de toda maneira. A criança mais nova rasgou o saquinho de pistache. Ouvi vários deles quicando pelo chão do hotel. Ela me olha com um sorriso que só mostra a arcada inferior, sabendo que fez besteira – mais uma das muitas do dia e das que ainda vai fazer. Rápida, ela se prontifica a catar.

Não vou me irritar, mesmo se ela jogar tudo dentro da privada de novo. Temos uma série de cenas previsíveis pela frente, e outras tantas surpreendentes por essa estrada. O caminho é longo. Ao lado delas, tudo é possível, até ficar respondendo à mesma pergunta sem parar. E isso é bom. Sou muito grata por ter esses três perto de mim.

reverter a frustração das férias

A estrada entre Itacaré e Ilhéus, na Bahia, é sinuosa. O balanço fez as meninas dormirem e os pais, quase enjoarem. Eu segurava a cabeça da Carol para não deixá-la despencar para o lado na cadeirinha da van que nos conduzia para o aeroporto. Com a outra mão, eu checava a temperatura da pequena. Quinto dia de febre. Tosse, nariz escorrendo e nenhum apetite. O olhar estava caído. Naquele instante, porém, ela dormia tranquila e fresca. O plano era sair do Santos Dumont direto para uma emergência no Rio. Com a recaída do dia anterior, estava na hora de algum médico vê-la.

Na outra cadeirinha, Letícia também dormia. Seus cabelos lisos e quase pretos passavam um pouco do ombro. A franja escapava da presilha e lhe tapava um pouco dos olhos. Suas pálpebras estavam levemente mais claras do que a pele morena de sol. Pareciam cobertas por uma sombra brilhante. Lembrei da forma como ela se refere a um episódio de sua vida como se fosse a cena de um filme. Por exemplo, ela diz: "Mamãe, adorei aquela parte que a Carol falou com o sapo." Na sua narrativa infantil, fica mais óbvio que tudo de bom – logo, de ruim também – é um trecho de uma história maior. Foi assim que um filme repleto de partes legais começou a rodar na minha cabeça.

Mesmo Carol tendo adoecido no nosso terceiro dia de viagem na Bahia, houve muitas cenas que eu adorei. Como as manhãs de piscinas na areia da praia e tombos na espuma das ondas. Carol pedia, empolgada, dizendo "quelo mais", a cada colherada de peixinho com arroz e feijão; e Letícia dizendo para mim "quando eu crescer, e tiver uma filha, vou contar para ela que eu ria muito com você". Quando voltávamos para o quarto, à noite, depois de jantar, e encontrávamos o mesmo sapo gordo de prontidão no corredor, começávamos a cantar para ele "o sapo não lava o pé, não lava porque não quer...". Pobre sapo, nem piscava diante da gargalhada geral. Foi bom também catar flores no fundo da piscina com Letícia, e de me fazer de mãe-sereia da pequena Ariel.

E teve ainda aquela parte quando o marido contou, cheio de gestos grandiloquentes, típicos de um super-herói Kung Fu, qual seria sua estratégia caso o jacaré decidisse atacar um de nós. Ele cismou que o réptil encarava sua bebê e não gostou, por isso pensou em todos os possíveis golpes para nos defender. Nessas horas, ele fala comigo como se as crianças fossem a plateia, e eu caio na gargalhada como se eu fosse uma das crianças.

Gostei daquela tarde em que Carol, pouco antes de tirar a soneca no berço, rompeu o silêncio do quarto para dizer "bigada, mamãe, massage", enquanto eu massageava as suas costas.

Sem falar daquela parte em que Letícia gritou do banheiro qualquer besteira, enquanto Carolina dormia no quarto, tarde da noite. Aí o pai sem noção gritou "shhhhhh" do quarto, para mandar a mais velha ficar quieta, no que eu fiz o meu "shhhh" irritado para chamar a atenção dele, levando Carol a abrir os olhos, botar o dedinho na boca e fazer "shhhhh" para todos nós.

Houve muitas outras partes bem legais sob perfeitos dias de sol. Enquanto esse filme passava pela minha cabeça, afastando temporariamente a preocupação com a pequena febril, me dei conta do quanto preciso aprender ainda para ser grata por tudo – apesar das partes não tão felizes assim da nossa vida. Quando Carol apareceu com febre, senti uma enorme frustração, como se todo aquele plano estivesse perdido para sempre. Não estava. Enquanto eu e meu marido nos revezámos entre a diversão e a enfermagem, cenas legais aconteciam também. A família permanecia junta aprendendo mais um pouco sobre si mesma, num pequeno laboratório de vida.

Quanto ao jacaré, um resumo de sua história: Binho vive num pântano próximo a um pequeno fabricante de guloseimas à base de cacau, na área do hotel onde ficamos. Há uma cabana rústica onde se degusta um delicioso café com cacau e bolo de chocolate, sem lactose. Quando a dona do lugar chama, Binho sai do lago e aparece todo faceiro. Para de andar quando ela manda. Neste verão, Binho tinha a companhia de Julinha, uma jacaré que, especula-se, deve ser sua filha. Os dois vieram nos saudar. Tiramos foto com o bicho ali pertinho e tudo, mas o pai, de prontidão e com Carol no colo, não desgrudou os olhos do animal. Era o macho protetor em ação contra o provável predador. E isso rendeu muita piada depois.

tirar férias sem as crianças

Planos audaciosos como passar três dias fora requerem um serviço de inteligência (como fazer, aonde ir) e uma estratégia de guerra (que sentinelas estarão a postos, quem pode cuidar). Nem todo mundo tem uma infraestrutura que funciona. Muitos casais não contam com ninguém de confiança, ou não têm grana para contar. Há os que não se sentem à vontade em delegar, ou que, pelo número de filhos, ficam sem jeito de distribuí-los por aí só porque precisam "aproveitar" uma noite inteira de sono. Tem ainda os que estão "amarradões", curtindo adoidado – há cinco anos e meio – aquela criança tão desejada e planejada que acabou de chegar. "Nossa, já tem tanto tempo assim?". Eles irão se perguntar, quando perceberem o porquê de não terem dado uma escapadinha a dois.

Se você se identificou com alguma situação descrita, bem-vindo ao clube. Eu não dava uma escapadinha dessas mais longas havia dois anos, nove meses e vinte e um dias. Quando meu plano infalível funcionou, eu estava no éden. Foram três dias sem dar bronca, sem distribuir ordens, sem apartar brigas, sem ouvir reclamações e demandas. Fiquei três dias inteiros sem ver meu marido franzir a testa. Ninguém gritou "acabeeeeei" enquanto eu fazia uma refeição, ninguém me chamou no meio da noite. Fui ao banheiro SOZINHA! Não mandei ninguém parar de pisar no chão frio descalça, nem escovar os dentes ou pentear os cabelos.

Foram três dias em que eu estava desobrigada de virar a chave do modo mãe para o modo namorada, porque no filho a gente manda ("não saia da mesa antes de acabar!"), o marido a gente convida ("gostaria de parar de ver um pouco TV e jantar comigo agora?"). E é claro que a gente esquece de virar essa chave de vez em quando e sai mandando em todo mundo. Durante esses três dias, eu era uma mulher sem obrigações, uma versão quase perfeita de mim mesma. A triste verdade é que muitos casais naufragam quando percebem, tarde demais, o quanto se descuidaram um do outro. Juntos e empenhados em cultivar a vida em família, deixaram de testar os demais laços que deveriam dar retaguarda para a desgastante e emocionante aventura de ter filhos. Atração, cumplicidade, humor, identificação, admiração e tudo o mais que valorizamos numa relação acaba ficando em segundo plano diante de uma criança que precisa ser amamentada, entretida, ensinada, acalentada etc. A coisa só complica com o aumento do número de filhos. Não é fácil.

A presença ostensiva dos filhos nos distrai. Eles preenchem até as lacunas que não se sabia estar vazias. Filhos dão um novo sentido à nossa vida como se, enfim, tivéssemos encontrado um lugar especial no mundo. É muita tarefa e muito amor. Nunca mais seremos pessoas à toa. Encantado com a missão, o casal pode cair numa armadilha e se perder um do outro. Não é por outro motivo que muitos casamentos se desfazem depois dos filhos criados. É como uma ponte que ruiu, deixando a dupla em margens opostas. Filhos crescem, mas todos nós continuamos em evolução. Não acompanhar a transformação do outro ou não se interessar por ele é parar no tempo o casamento que começou bem.

Não, eu não estou aqui dizendo que filhos destroem um casamento ou algo assim. Muito pelo contrário. Eles são o fruto desse amor. Sacrifícios fazem parte dessa história. Há tempo de plantar e de colher, de farrear e de se recolher. Crianças pequenas exigem muito "recolher". Decididamente, você quase não irá a festas. Mas o casal atento a si mesmo cultiva a relação em pequenas doses diárias de atenção: manda torpedos, faz gracinhas nas entrelinhas, cria piadas que só os dois entendem, deixa de dormir para namorar na madrugada e elogia as olheiras um do outro no dia seguinte. Mas tirar férias a dois é uma bênção, um serviço de utilidade pública. Casais felizes são pais melhores. Pais melhores educam com mais amor. Crianças amadas farão a sociedade progredir em valores humanos. E mais humanidade é do que todos nós precisamos. Portanto, bora fazer um plano que requer disciplina (juntar dinheiro!), humildade (pedir ajuda!) e determinação (não ceder à própria saudade nem aos apelos e às chantagens dos filhos, porque eles sabem muito bem fazer isso!). Pense nisso e boa sorte.

chegar em casa sem despertar uma revolução

Com os braços esticados, e os olhos semicerrados, ela queria colo. Ainda uniformizada, e cansada, pediu que eu a carregasse até o carro. Extenuada das últimas várias noites maldormidas, e respirando mal por causa de uma coriza, cedi. Ela parecia estar dormindo em pé. Cambaleamos até o carro. Havia chovido. O ar mais limpo e o clima fresco eram pressságios de uma ótima noite de sono. Naquele dia, com o marido num compromisso, fui resgatá-la da casa da avó. Pensava "que bom que ela está no mesmo ritmo que eu".

– Vamos dormir cedo, né, filha? – eu, sonhando com minha cama.

Ela balançou a cabeça concordando comigo. "Ai que bom, que bom", eu comemorei por antecipação, enquanto abria a porta do carro com a mão do mesmo braço onde se penduravam minha bolsa e a lancheira dela, enquanto o outro braço, segurando 19 quilos de puro cansaço, dava força para a mão onde eu segurava a pasta.

Coloquei-a na cadeirinha. E aí ela começou a despertar.

– Mamãe, da janela eu vi o tororó que caiu.

– Caiu o maior toró, né?

E foi puxando vários assuntos no curto trajeto que nos separava de casa. Na porta, pensei que, pelo avançar da hora, Carol já devia estar quase dormindo. Mas abri a porta sem falar nada, porque me faltavam forças para comentar. Pra quê! Letícia saiu na minha frente, se antecipando ao comentário que sempre faço ao voltar do trabalho.

– Tem criança pequena em casa!???

É nossa senha para fazer surgir uma bebê correndo pelo corredor, cheia de sorrisos e novidades para mostrar. Ontem à noite, por exemplo, era o "pince" (príncipe de alguma Barbie). Naquela noite, a bebê não apareceu, mas protestou lá da penumbra do quarto onde a babá estava quase encerrando uma bem-sucedida missão de colocá-la para domir.

– Leiê! Mamanhê!

Bem, lá fui eu. Ela queria "bincar", e dá-lhe "vem, mamãe, vem, mamãe". A irmã, aquela mesma dos olhinhos semicerrados e dos bracinhos esticados que mal conseguia andar, embarcou na proposta. "Ei, onde foi parar o seu cansaço? Quero a fórmula!"

Elas eram a encarnação de um fenômeno muito conhecido de pais e mães: o famoso efeito "mamãe-acabou-de-chegar", também encontrado na versão "papai-voltou-do-trabalho". Catalogado e registrado em pesquisas científicas, o efeito "mamãe-acabou-de-chegar" é um poderoso antídoto para o cansaço de crianças. Tem impacto fulminante no sono e destrói qualquer clima de tranquilidade e relaxamento nos filhos pequenos.

A versão "papai-voltou-do-trabalho" apresenta pequenas variações no quadro descrito no parágrafo anterior sendo que, não raro, os papais esquecem que o ideal é conduzir as crianças para um entretenimento relaxante. De preferência, que não envolva lutas, pirâmides humanas de circo nem histórias de escangalhar de rir. Gargalhadas costumam potencializar o efeito "papai-voltou-do-trabalho", adiando a hora de dormir para horários que a literatura médica não recomenda.

Das duas uma: ou a mãe (e o pai) chega bem antes das crianças irem para a cama ou bem depois de estarem dormindo. Na hora do sono é um desastre. Isso o *Guia do Bebê* não diz, né?

Estou brincando de boneca com Carolina, de 4 anos, e cabe a mim o papel de mãe de quatro bonequinhas. Em brincadeira de criança, quem escreve o roteiro e dita as cartas é ela.

– Aí, mamãe, finge que essa mãe deixava tudo, ela era muito legal.

– Sei... – digo, e assim continuamos no faz de conta.

Ela diz mais umas duas vezes que aquela "mamãe era muito legal, que deixava fazer tudo". Resolvo me manifestar.

– Carol, estou ficando com ciúme dessa mamãe. Pelo que você diz, ela parece mais legal do que eu.

Sem levantar a vista para mim, ela estala a língua, dá um sorrisinho consternado e continua arrumando a casa das bonecas.

– Precisa ficar com ciúme não, mamãe, é só brincadeirinha.

– mamãe, eu também preciso cuidar da minha vida às vezes. você entende, né?

Carolina, aos 5 anos

parte 5

Estes personagens inesquecíveis
(às vezes enjoadinhos...)

a caminho de encontrá-la

As ruas estavam molhadas e tranquilas. Àquela hora da noite, o trânsito do Rio também se preparava para dormir com poucos veículos insones nas ruas. Uma música animava o carro, enquanto eu e Eduardo conversávamos amenidades, interrompidos por contrações e expectativas. A enseada de Botafogo acenava misteriosa e tímida para nós. O tempo estava nublado e o céu, sem estrelas. Com a cabeça recostada, vi meu passado no espelho lateral. Havia uma menina com medo de trampolim e de cavalos. Uma adolescente temendo doenças misteriosas. Eu tinha certeza que faltava pouco para meu medo se manifestar. Antes do encontro mais desejado do ano aconteceria um parto, e eu queria que a euforia sufocasse o medo.

Quando chegamos à maternidade, havia dores espaçadas e uma desconhecida tranquilidade em mim. Era a serenidade de quem nada sabia. Eu subia as escadas do trampolim decidida a saltar, porque tinha uma menina inteira dentro de mim querendo chegar. Enquanto a criança não nascia, a mulher-semente se preparava para brotar. E eu descobri que havia forças desconhecidas na mãe pronta para nascer.

O trânsito voltou a correr, as luzes da cidade se apagaram e o sol iluminou o céu branco de nuvens tímidas deixando a noite em claro para trás. Só então Letícia chegou, silenciosa e tranquila, de parto normal. Eu mergulhara de cabeça no espelho d'água da maternidade. O nascimento era em si mesmo uma conquista.

No dia 10 de novembro de 2005, às 7h50, eu dava um importante passo para me tornar uma pessoa melhor.

vinte e seis tombos

Vinte e seis tombos. Foi o número de vezes que Letícia desabou dentro do berço na sua luta contra o sono. Tinha apenas sete meses. Caiu sentada, de lado, de frente, de cara. Um tombo mais espetacular que o outro. Ficava de pé e desabava na mesma hora, cedendo ao cansaço. Impressionante a insistência. Fiquei sentada observando a cena enquanto buscava uma nova estratégia para fazê-la dormir. Já tinha cantado, dançado, contado história, rezado. "Dorme, neném." E o neném de pé olhando para mim, falando "tétété". E, de novo, sentada, caída, deitada, bumbum para o alto, nariz enfiado no travesseiro. Ela me olha de lado, "tétété nhoinnnn". "Vai desistir", eu penso, mas ela levanta o bracinho buscando a beirada do berço como um náufrago agarrado ao bote e levanta de novo para cair em seguida. "Está divertido isso, filha?". Filha sorri, banguela e inocente, e me faz sorrir também. Parece entender meu deboche. Incentivo ao nosso fascínio mútuo, continua caindo diante de mim. Deve estar achando o máximo ter papai e mamãe ali de frente, sentados, olhando para ela, como se não tivessem mais nada a fazer às onze da noite. Eu pego um livro com métodos que ensinam a fazer os bebês dormir. Vai que eu esqueci de ler algum capítulo essencial, ou uma palavra mágica para colocar a criança em transe.

Abro e anuncio para ela. "Presta atenção." Ela continua caindo, levantando, caindo.

Com seis meses, seu bebê já deverá largar a mamada das 23h. "Ouviu?", pergunto a ela. Paro para conferir Letícia se jogando no colchão em seu 26º tombo.

A partir dos oito meses, ele já deverá estar dormindo a noite toda.

Peguei a bebê no colo e fomos buscar a mamadeira das 23h.

o bebê quer conversar, mas é tarde!

"É tarde, minha filha", mas minha filha acorda, a princípio para mamar, mas depois quer brincar. Quase meia-noite e a bebê sorri, fica molinha, se encosta na gente, levanta a cabeça, quer arrotar. Pronto, arrotou. "Agora dorme, neném", mas neném quer falar. Encontra não sei o quê no teto, olha para a luz, sorri, quer brincar; a mãe tenta a chupeta, "deita, neném", mas neném levanta, acaricia o cabelo da mãe, puxa o cabelo da mãe, o tempo passa, "é tarde, minha filha", mas filha não quer dormir. A mãe insiste com a chupeta, tira a chupeta; "será fome?", tenta o peito, tira o peito; põe música, tira música; canta, sacode o neném, neném não quer sacudir, quer brincar. Conta uma história, inventa outra história, mas bebê resolve conversar. "Vamos rezar", a mãe reza, pede para Deus, "faz o neném dormir, mamãe tem que trabalhar", mas neném vira para um lado, vira para o outro. Encosta no ombro, "oba, vai dormir", mas ela muda de ideia. Passa da meia-noite e, já no berço, a filha fica de pé, cai a chupeta, pega a chupeta, põe ao contrário na boca, a mãe conserta, respira fundo, olha para a neném: nem sinal de cansaço. Cadê o sono que não vem? Retorna a bebê para o colo. Deve ser a fralda. Troca a fralda, passa pomada, enche de pomada; "quem sabe faz dormir?". Tenta ninar, põe música, tira música, a mãe canta, chega na janela, mostra a rua silenciosa atrás da vitrine da janela, "todos dormem", a mãe explica, o bebê responde "huuummm", "só falta você", a mãe insiste, e o bebê: "Hummm." "A noite chegou", a mãe anuncia com atraso, não sabe mais o que falar, o bebê dá outro gemido. Juntas, dançam a música do sono, abraçadas, quietinhas, a bebê já está ficando molinha de novo, finalmente, o tempo passa mais um pouco. "O que é uma noite diante de toda uma vida?", a mãe se consola, até que a criança dorme, a madrugada voa e horas depois a mãe vai trabalhar. Cansa, viu.

alegrias matinais

Passavam das sete da manhã, e a neném chorava de novo.

– Agora é fome. Você traz ela aqui? – peço ao marido, sonolenta demais.

Ele chega com a neném acolhida nos braços. Ela sorri ao me ver e cospe a chupeta no chão. Quando se aproxima da refeição, ela faz isso. Seus cabelos pretos e cacheados estão mais revoltos pela manhã. É engraçado ver uma bebê tão pequena despenteada. Bebês de revista geralmente são carecas e têm olhos azuis. A minha é cabeluda e tem os olhos mais pretinhos que já vi. Sento na cama para amamentar. Faminta, ela se concentra.

Depois de um tempo, começa a me dar tapinhas no seio como quem tenta esvaziar um pote de cabeça para baixo. Eu digo "ai, ai, ai". Ela responde "hummm".

Eu digo "hummm". Ela diz "humm" e começa a brincadeira. Ficamos brincando de "humm-hummm", enquanto o pai finge dormir. Ele tem sono, mas ninguém dorme ouvindo a mulher e a bebê brincando de "hum-hum".

Como hoje é meu dia, vou dormir mais. Ela vai para cima do pai.

– Que.

– Que que o que, minha filha? – ele pergunta. Ela, cambaleante na cama macia com travesseiros, parece bêbada. – Você bebeu, foi? – o pai pergunta.

– Que – ela responde.

– Ela bebeu leite – eu digo.

– Que o que, minha filha? Você quer brincar?

– Que.

– Ela fica dizendo "que". Tá brincando comigo, será?

– Acho que tá. Brincou de "hum-hum" comigo, e agora brinca de "que" com você.

Eles foram brincar de "que" ou outra coisa qualquer. Eu voltei a dormir e devo ter sonhado com o "hum-hum".

o mistério do urso palhaço

Letícia descobriu os ursos de brinquedo. Anda para cima e para baixo arrastando o maior de todos. Uma espécie com cara de sono, feita de toalha de fios penteados de cor marfim, recheada com espuma bem macia e laço vermelho no pescoço. É quase do tamanho dela, e a segue por toda parte, limpando o chão. O menor está em posição sentada. Marrom, tem areia nas pontas das patas para cair na mesma posição. Parece ser o preferido. Outros dois pequenos mais comuns estão sempre jogados no meio das quinquilharias, escondidos entre peças e pedaços de brinquedos. Mesmo pequenos, destacam-se na multidão. "Urso! Urso!", aponta Letícia, feliz, sempre que os identifica. É um amor que dá gosto de ver numa bebê de 1 ano de idade.

Ontem à noite Letícia não queria dormir. Dessa vez o motivo era a ausência dos ursos. Ah, sim, tem o urso amarelo, o Tuca, de focinho branco e preto, com textura de travesseiro. É gostoso até para morder, de acordo com minha filha. Naquela noite, a babá tinha lavado todos, de uma só vez, e bateu o medo do ritual do sono ficar desfalcado.

– Mas cadê os ursinhos dela? – o pai, quase irritado, perguntava.

– Estão lavados. Vou ver se algum secou.

Voltei com o ursinho amarelo. Letícia levanta no berço, estica os braços, leva o ursinho para o aconchego de um abraço e lhe tasca um monte de beijinhos. "Urso, urso, ursoooo!!!", ela comemora, com a fala abafada pela chupeta. "Urso, urso, urso, urso", continua, sem fim, deitada no quarto, agora escuro.

Saímos do quarto pé ante pé, enquanto, atrás de nós, a neném continua baixinho: "Ursooo..."

Letícia solta uma gargalhada sozinha.

Tenho certeza de uma coisa: o urso disse algo muito engraçado para ela.

milagres de agosto

Agosto costumava ser o mês mais seco do ano em Brasília, o auge da estiagem. Jardins apagados, gramas amareladas e uma ausência de chuvas que alimenta a saudade da estação molhada. Eu até quis que Carolina nascesse dia 31 de julho, mas não era o tempo dela. Minha caçula seguia confortável dentro da minha barriga. Os dias passaram mais um pouco e a data marcada pelo destino chegou. Com o nascimento de Carolina no dia 12 de agosto veio também a chuva inesperada, pondo fim precoce à seca. Por vários dias, a surpreendente água do céu esverdeou os jardins e não deixou a grama murchar. Ocupada com fraldas e mamadas, perdi o noticiário e fiquei sem saber o que justificava aquela chuva fora de época no Planalto Central. Sabia apenas – pela cultura aprendida nesses tempos vividos aqui – que não era normal. Algo atípico acontecia. E corria para a janela, com a filha mais velha, o marido e a avó para observar o barulho das gotas nas folhagens do nosso jardim. Admirados ficávamos. "Está chovendo!"

A chuva veio te receber, pequenina. Deus mandou regar os jardins e preparar as flores antes da primavera chegar.

Os milagres começaram em agosto, nome que agora rima com "teu rosto". Com teu nascimento, nossa casa cresceu, tua irmã amadureceu, e eu virei menina novamente brincando de boneca. Tão delicada, você. Tão dependente do meu leite. A vida se emancipou e fomos todos – pai, mãe e irmã – envolvidos pelo amor espontâneo da terra fértil, molhada e vermelha, pelo milagre da vida parida em agosto.

Hoje, quando vejo teus olhos de fundo branco imaculado, e teu sorriso involuntário que, ouso dizer, responde às minhas gracinhas, sou apenas promessas. Prometo te proteger, alimentar e amar, incondicionalmente, para o resto da minha vida.

princesa babinha

Eu não gosto de chegar em casa e encontrar minhas filhas dormindo. Não gosto, mas é inevitável quando chego muito tarde do trabalho. É inevitável e, diria, necessário, porque errei demais pedindo para manterem minha filha acordada até eu chegar, porque eu queria pegar, abraçar, beijar, brincar, dar de mamar e ver aquele sorriso gostoso antes de dormir. Conclusão: a filha mais velha, até hoje, dorme muito tarde. A neném está entrando num esquema mais neném, que eu tento respeitar, apesar dessa parte estragada de mim que quer entrar berço adentro para sentir um pouco daquele cheirinho e olhar de perto aquele jeitinho de quem não fala ainda, mas tem tanto a dizer.

Minhas pequenas alegrias diárias têm muito a ver com essa miniatura que tenta me abocanhar sem dente e que, timidamente, esconde o rostinho no meu colo se estamos diante de um desconhecido. Como diz a irmã, a "princesa Babinha está vindo na minha direção querendo me babar. Mamãe, olha a neném feroz!", diz uma gaiata de 4 anos, fingindo medo enquanto a irmã tenta alcançá-la.

O tempo não dá tréguas. Ela, que nasceu outro dia, já cumpriu o tempo de outra gestação e tenta, aos 9 meses, dar passos rumo a qualquer lugar. "Aonde você quer ir filha? Tá com pressa, tá?", e a filha ri, engraçada, bamba, bêbada em pé no centro do berço, arriscando-se a soltar as mãos, a tentar outra vez passar de um lado para o outro, depois de descobrir que o interruptor – esse insondável botão logo ali atrás do berço – tem o poder de lançar luzes amarelas e azuis pelo quarto e produzir sombras para ela brincar. Minha filhotinha anda encantada por interruptores, tomadas e rodas de carrinho. Vai tudo parar na boca, porque o mundo precisa ser experimentado.

Quando ela crescer, quero não me esquecer de sua mania de "mastigar" a comida fazendo "huummm-humm", repetindo, ao que parece, uma tática que ensinamos sem querer ao dizer que o "papá tá muito gostoso, hum-hum". E assim ela come fazendo muito barulho engraçado.

A princesa Babinha e seus profundos olhos de jabuticaba e cabelos pretos – mais pretos do que os meus jamais foram – é a paz dos dias ensolarados e chuvosos, das tardes preguiçosas dos fins de semana, das noites intermináveis de mamadas irregulares, dos banhos que molham o banheiro, da cama que fica amassada. Ela olha para a lente da câmera como se tentasse desvendar o objeto prateado, que ela gostaria de botar na boca, mas eu não deixo.

Ao ouvir o barulho de minha chave na porta, ela se põe a engatinhar rumo a sala, e eu fico parada, aguardando aquela minúscula pessoa despontar no corredor e abrir um sorriso grande, sincero, espontâneo, pelo simples fato de me ver de volta à casa.

sorrisos febris

Fui dirigindo e dizendo para mim mesma que não havia pressa. Era só uma febre, normal, vamos aguardar. Virose só diz ao que veio depois da febre instalada. Será garganta? Ouvido? Virose? E se for dente? O que será?

Já em casa, peguei a neném no colo, quentinha, parecia um pãozinho. Ofereci a mamadeira reforçada em substituição ao jantar, que ela pulou por ter caído no sono. Quando acabou de mamar, entreabriu os olhos. O quarto estava na penumbra, mas eu sorri, e ela sorriu de volta para mim, com os olhinhos semicerrados. Quando abriu de novo, ficou me olhando uma eternidade. Eu disse "oi". Ela sorriu, dois dentinhos inferiores à mostra, sobrancelhas e cílios compridos definindo um rostinho claro no escuro. Fechou os olhos e suspirou de novo:

– Mamãeeee – ela chamou, e eu apertei o abraço.

– Estou aqui.

– Mamãeeeee...

– Sim, estou aqui. Pode dormir agora. Vai ficar bem.

– Oiiii...

– Oi, filha, oi.

Naquele instante, não havia fome, sono, contas, estresse. Não havia agenda para o dia seguinte. Não havia pendências, urgências, compromissos importantes. Não havia nada, apenas vontade de ser mamãe: a presença que cura e faz sorrir.

bebês de 1 ano

Bebês de 1 ano são um eco das nossas palavras e atitudes. Quando começam a falar, repetem as últimas palavras das frases, construindo diálogos muito reflexivos. A resposta deles é sempre um reflexo de nós mesmos. Você diz assim: "Nossa, filha, você está linda!", e a filha sai repetindo "inda, inda". Você pergunta "Onde está a boneca?", e surge aquele olhar perdido balbuciando, "muneca?"

Outro dia, numa noite muito agitada, em que todo o ritual do sono estava sendo descumprido, tentei um acerto racional. "Preste atenção, você vai dormir a noite toda." "Toda, toda, toda", ela me disse três vezes, enquanto rolava no berço, o que soou como um grande deboche. Mas não é que ela cumpriu o prometido? O que me leva a crer que, além de engraçados, os bebês de 1 ano podem ser muito coerentes também.

Bebês nessa idade são ótimos imitadores, especialmente se tiverem por perto um pequeno professor, como um irmão mais velho. Quanto menor o professor, mais rápida é aprendida a lição. Se a irmã reclama de um machucado, a outra trata logo de imaginar um dodói também e ganha um beijo, porque só o beijo dissolve a falsa expressão de sofrimento.

Bebês são muito artistas. Ela chega a ter pressa de ir ao banheiro. Aí senta no piniquinho, faz "sssshhh" e levanta feliz, com a fralda ainda posta.

Bebês de 1 ano adoram tapar a própria visão com roupas, bonés ou o que estiver por perto. Eles se divertem muito andando sem rumo. Por isso, costumam girar para ficarem tontos e morrem de rir. Como bêbados, mudam a rota do que fazem, tiram finos de quinas, e seguem você. Depois agarram a sua perna como um barco sem freio atracando em águas calmas.

Bebês são muito inteligentes também. Contam longas histórias, a despeito do vocabulário restrito. Cabe a você imaginar o enredo.

Outro dia cheguei tarde do trabalho. Entrei silenciosamente em casa para não perturbar a noite, mas fui surpreendida por uma criança vibrante e tagarela me contando as novidades.

– Mamãe, mamãe! Tá a maior bagunça em casa, porque eu fui tirando os brinquedos. Vem ver, vem ver. Papai também está arrumando os livros, e ele mesmo está fazendo bagunça.

– Shhh... Fala baixo porque sua irmã...

A irmã chega correndo na sala, um pouco atrasada, para contar as mesmas novidades. Balançando os braços desajeitadamente, ela vai relatando o que se passava. "Babunça, mamãe. Mamanhê, babunce", e volta sorridente e apressada para o lugar de onde veio. O quarto era uma "babunça" só, porque ela se divertia tirando do lugar os brinquedos, que o pai insistia em arrumar.

Bebês também gostam de dormir tarde, especialmente se estiverem se divertindo muito em família.

Bebês de 1 ano desejam muito tudo o que está nas mãos da criança mais velha: comida, escova de dentes, brinquedos e brinquedos. Se está nas mãos da irmã só pode ser "meu". Bebês de 1 ano são muito possessivos. Foi assim que numa certa manhã, enquanto brincávamos na minha cama, ouvimos o som de uma flauta doce ao longe. Era a irmã brincando com o instrumento em algum lugar da casa. A bebê parou o que fazia e me olhou preocupada. Deu um jeito de descer da cama. Antes de partir, me encarou novamente para explicar, com as sobrancelhas franzidas e as mãos encolhidas na direção do peito, o que estava prestes a fazer num texto cheio de reticências.

– É meuuuu!

Bebês de 1 ano também podem ser muito implicantes, mas são adoráveis.

uma teoria sobre a pirraça

Acontece de uma hora para a outra, não avisa que vai chegar, e toma conta de todos – pai, mãe, filho – assim, de supetão.

A criança está bem, feliz, brincando, mas é tarde da noite, já andamos muito pelo supermercado. Ela dirigia feliz o carrinho de plástico carregado de compras em cima, girando o volante de um lado para o outro, alheia à direção que o pai a empurrava, e vamos para a fila. Ela resolve sair do carrinho. E entrar. Sair e entrar. Sair e entrar, numa sequência infindável. Daí começa a escorregar para dentro, joga a cabeça pela janela, sai torta e entra de novo, também torta, anunciando tombo, dodói e tudo que não presta.

– Vamos parar, minha filha?

– Naum... – ela continua. Entra e sai, entra e sai, entra e sai.

O pai já vai passar os últimos produtos pelo caixa, a brincadeira vai ter que acabar já, já. "Ai meu Deus", a mãe pensa, "Como parar isso?"

– Filha, vem cá.

– NAAAAUM... – o grito sai mais alto, bebê se joga no chão, fica com o corpo todo molinho, começa a empurrar o carrinho de plástico para longe, puxa para perto... Nada satisfaz. Continua a gritar, a mãe tenta pegar no colo, ela se junta ao chão – há um ímã atraindo os dois, só pode.

Ela empurra o carrinho pra longe e reclama, puxa para perto e reclama. Mãe tenta consertar:

– Tá bem, tá bem, entra no carrinho então.

– NAUUUUMMM...

– Então sai, ué.

– NAUUUMMM... – e chora, grita.

– Você quer o quê então? – mãe arrisca perguntar. Ela não quer nada, não quer entrar, não quer sair, não quer deixar o carro parado, não quer empurrá-lo, não quer chupeta, não quer que eu guarde a chupeta, não quer colo nem quer ficar no chão.

A gente da fila ao lado olha de lado, finge que não vê. Mãe pensa também em fingir que não vê, mas não dá. Pai olha de longe com olhar de dúvida: paga as contas ou ajuda com a bebê?

– Anda, paga logo, vambora.

– NAAAUUMMM... – ela grita.

– Ah, tá. Não é para pagar as contas? Ih, olha lá, um biscoito de polvilho – chegou a redenção.

Tudo se faz paz. O silêncio contagia todo o supermercado. A gente da fila ao lado sorri. Ela sossega alguns minutinhos até entrar no carro antes de uma nova sessão de pirraça.

Pirraça é um misto de cansaço com um tédio inesperado, fome e preguiça de comer. O choro vira gargalhada com muita facilidade, e vice-versa. Há que se evitar as precondições, porque, uma vez instalada, é ruim de resolver. Aí tem que esperar o intervalo das ondas de irritação. No que a criança baixar a guarda e mudar o olhar, ofereça um abraço. Pode ajudar.

ciúme, o dodói invisível

No dia dos pais, estávamos em almoço festivo na casa de parentes. Havia uma neném de 8 meses entre nós. Pequena e leve como há muito tempo a minha já não era.

– Posso pegar? Olha, Letícia, que fofa – eu, mostrando a neném para minha filha, então com 1 ano e 7 meses. Letícia séria me encarando. – Vem, filha, faz carinho. – Letícia não move um dedo. Não sorri nem se aproxima. Eu brinco com a menina sorridente, olhar fixo em mim. Letícia leva a mão à cabeça e interrompe a cena.

– Dodói, dodói – reclama.

– Ô, filha, você fez dodói? Mamãe dá beijinho.

Ela se satisfaz. Por vinte segundos.

– Dodói, dodói – insiste, a mão no pescoço. Eu dou outro beijinho. Dez segundos depois, outro dodói na cabeça. Mais beijinho. Uns seis beijinhos e seis dodóis depois...

– Cá, cá – Letícia me pede colo, com os braços esticados.

Num outro dia, Letícia desce para brincar com as crianças do prédio e com o pai. Lá pelas tantas, Júlia, uma das amiguinhas, sempre muito retraída, resolve dar a mão para o meu marido também. Letícia vê aquilo e não hesita:

– Dodói, dodói – disse ela, mostrando a mãozinha.

Ciúme é um dodói que só a gente vê.

vestido de noiva

Eu me desfaço dos meus pertences com certa facilidade. Se entra uma calça jeans nova no armário, tiro outra, mesmo que não seja tão velha assim. É uma questão de bom senso e também de praticidade. O espaço físico do meu armário tem limite, assim como o tempo que levaria escolhendo uma roupa se as opções fossem infinitas. Pois é. Mudei de opinião. Às vezes vale a pena guardar certas roupas.

Batia um papo de fim de noite com Letícia, que insistia em não dormir e pedia minha presença.

– Filha, me ajuda, vai. Fica quietinha para dormir, porque mamãe tá cansada.

– É que eu te amo tanto – *ela sempre joga baixo assim.*

– Eu sei, querida. Também te amo demais, mas a gente precisa descansar agora.

– Você é linda, mamãe – minha pequena escorpiana sedutora em ação não tem limites.

– Quando mamãe fica mais linda?

– Quando está de rabo de cavalo, gel – não sei de onde ela tirou isso, porque eu não uso gel – e vestido de noiva.

– Vestido de noiva?!

– Cadê o vestido de noiva que você usou quando foi casar?

– Mamãe deu para outra pessoa.

Ficaria muito complicado explicar um "primeiro aluguel", ou seja, paguei pela minha escolha, mas devolvi depois do casamento à loja. Era mais original que alugar e mais barato que comprar.

Minha filha fez beicinho e um olhar de decepção. Naquele instante, pela primeira vez em oito anos, eu me arrependi de não ter comprado o vestido, nem que fosse para brincar de princesa com ela numa tarde qualquer. Sugeri então que, qualquer hora, a gente podia providenciar um vestido de noiva para mim, e fiquei me imaginando num daqueles modelos vendidos em armarinho para festa junina.

– Isso!!! – ela respondeu, sorridente, antes de virar para o lado e finalmente dormir.

Tudo bem que vestido de noiva é para uma noite só e tal, que na hora de contratar tudo (bufê, decoração, igreja se for o caso, ou só o espumante para o brinde) a gente faz contas apertadas, tira daqui para colocar lá, e nunca vai imaginar que, um dia, a filha de 3 anos vai querer ver você vestida de noiva ao vivo e em cores para dizer que você fica mais linda ainda assim.

O passado dos pais guarda o fascínio de um tempo misterioso. É preciso guardar provas materiais desse tempo tão cheio de significados.

felicidade a uma hora dessas?

O plano era dormir. Deitei cedo. Estava indo muito bem. Até que 1h30 da madrugada a bebê choramingou. Abri os olhos. Ela insistiu. Fui lá ver de longe, vai que tem perna presa nas grades de madeira... Não tinha. Voltei para a cama. O choramingo voltou às 2h. Vez do marido, enquanto eu tento, em vão, voltar a dormir. Depois ela reclama de novo, ele vai. Mais algumas vezes, eu vou. Até a gente perder a noção do tempo nesse ir e vir entre os quartos.

Pediu para fazer xixi. Estamos tirando a fralda dela, mas a da noite permanece, e devia estar incomodando a fralda molhada. Ela não está mais acostumada. Levo a pequena para a privada. Ela pede pra acender a luz. "De jeito nenhum, está todo mundo dormindo e você vai voltar a dormir também." Não sai xixi nenhum. Ela brinca com meu cotovelo, ao qual chama de "neném" e dá beijinho, como se fosse um bebezinho. Vê se eu posso com isso?

Então eu tento trocar a fralda, mas ela protesta, quer ficar de calcinha e começa a chorar, a gritar, atrapalhando o sono da irmã que, àquela altura, se mexe inquieta na cama. "Shhhh." Levo para o meu quarto. Convenço a botar a fralda, aí ela pede para mamar; eu finjo que não ouço. Ela insiste. "Ninguém come de madrugada aqui, que história é essa?". Ela insiste. Eu checo o relógio e meu estômago. São 4h. Acordadas desde 1h30, até eu estou com fome.

Desisto e vou lá preparar um leite contra todos os meus princípios. Volto com o copinho, ela suga, ávida. Deixo a neném no berço e aviso: "Agora acabou, você volta a dormir e mamãe também, ok? Papai também está tentando dormir. Boa noite, um beijo", "tchau-tchau, mamãe".

Eu saio. Deito. Respiramos fundo, até o silêncio da madrugada ser rompido pela cantoria no quarto ao lado.

– Sou feeeeeeeliz, poliso to aquiiiii, quelo biazar nesse balan-aumm.

Felicidade? A uma hora dessas?

papo difícil

Pressenti que ela me faria alguma pergunta complicada ao perceber um silêncio obsequioso no rosto da criança, até ela abordar, de supetão, um tema que tentamos evitar: a morte.

– Mas, mamãe, por que as pessoas nascem, crescem, ficam velhinhas, morrem e vão para o céu?

Meu coração trincou e minha mente, ainda surpreendida, parou no céu. Um par inquisidor de olhos esperava de mim uma resposta para o assunto.

– Olha, o céu é um lugar lindo, tranquilo, cheio de coisas legais para velhinhos fazerem. Os velhinhos acabam querendo conhecer o céu, não é como a gente que quer conhecer muita coisa na Terra ainda, tipo a Disney.

Ela sorriu.

– Quando eu for para o céu, vou saber também como é lá.

Senti meu coração se espremer de novo e tentei mudar de assunto. Fomos para a pia. Ela subiu as escadinhas e eu comecei a luta para escovar os dentes de uma boca que insistia em conversar com a escova lá dentro.

– Mas quando você virar estrelinha e for para o céu, não vai poder mais me ajudar.

– O quê?

Outro estalo no meu peito.

– Meu amor, você não tem que se preocupar com isso agora porque falta muito, muito tempo para a mamãe ficar velhinha, tá?

– Falta mais ainda pra mim, que sou criança, né?

– Isso.

– E mais ainda para minha irmãzinha, que é bebê, né?

– Aham. Agora abre a boca, vai.

Com voz de "palhacinha" e um ar meio sem saber como me dizer algo, ela fulmina.

– É que quando você virar estrelinha, vou ficar com muita saudade.

Ouvi algo estilhaçando dentro de mim. Cacos invisíveis caíram no chão e pensei em nunca mais reclamar quando ela deixar de fazer algo sozinha, com o único propósito de me ocupar. Crianças adoram recrutar a gente até para o que eles poderiam fazer sem nossa interferência.

Busquei rápido uma resposta para dar conforto a essa história que teimamos em evitar a vida toda, porque fugimos da tristeza até em palavras. Ninguém quer falar da morte. Dei-lhe um abraço apertado.

– Eu também vou sentir muita saudade de você, mas você sabia que todo mundo, um dia, se encontra no céu?

– É?!

– Aí mata a saudade!

Ainda abraçadas, eu disse:

– Além do mais, quando eu virar estrelinha, você será uma linda e independente adulta, com uma filhinha maior do que você é hoje, a quem você estará ajudando, entendeu? A vida é assim: os grandes ajudam os pequenos, até que os pequenos ficam grandes e ajudam outros pequenininhos. Você mesma diz que irá se limpar sozinha com 5 anos, não é isso?

Feliz, ela concordou. Eu me olhei no espelho, fiz uma cara engraçada e perguntei:

– Você acha que a mamãe tá com cara de velhinha?

– Nããão.

Rimos bastante pra aliviar. Pintam uns papos difíceis, às vezes.

vestígios de mulher

Letícia não dava pista de que ia sossegar só porque já era tarde da noite e ela tinha que dormir. O jeito foi disparar a falar como ela, sem pontuação.

– Ei, *paradefalar*. *Ficaquieta*. Aff que essa criança não sossega e é só uma. Fico com pena da professora, coitada, já pensou, mais de 20 crianças patatipatatá, patatipatatá, e a pobre da professora "ei, crianças vamos ficar quietinhas", e as crianças nada de ficarem quietinhas; mexe prum lado mexe pro outro, levanta, senta, e a professora tentando chamar a atencão e a criançada nada. Tem que fazer alguma coisa mesmo, jogar aguinha benta, cantar zipzapzipzum. Minha boca vou fechar, passar durex, cola, chiclete, sei lá. Como é que faz pra conseguir silêncio da garotada?

Letícia ri que se escangalha.

– Faz de novo, mamãe?

– Faz o quê? Patatipatatá zipzapzipzum?

Ela ri mais um pouco. Balança a cabeça de um lado para o outro e suspira:

– Ai, mamãe – como quem diz "você não tem jeito...".

Quando ela faz isso, eu me pergunto onde foi parar minha neném. A frase entrecortada parece esconder algo de mim. São vestígios de uma maturidade precoce escapando diante dos meus olhos. É como vislumbrar em uma bola de cristal a mulher que ela será. Essa minimulher resolveu me receber na porta, aflita, quando chego tarde do trabalho, para me dizer:

– Anda, mamãe. Corre, que a Carol ainda não dormiu. Vai lá!

Eu me livro dos sapatos e fico na dúvida se abraço a pequena solidária, ou saio correndo para pegar a pequenininha no colo, antes que ela durma. Odeio perder esse espetáculo.

festa sem hora para acabar

O pai viajou. Letícia pede para dormir na minha cama. Inventou que estava com medo, que não sei o quê, que estava triste.

– Por favor, mamãe. Por favor, por favor, por favor.

Não é um hábito. A cama é grande, e eu cedo.

Faço uma parede de travesseiros entre a gente para tentar me defender dos chutes. No escuro, vejo uma cabecinha aparecendo por trás da muralha de fronhas.

– Mamãe, acho que você exagerou.

Com vontade de rir, tiro um travesseiro. Ela pede a Papai do Céu que a irmã durma a noite toda para eu descansar, "amém". Dormimos.

Acordo 3h30 com um despertador esquecido. Procuro o apito irritante nas gavetas. Encontro. Aperto qualquer coisa. Depois de dez minutos, o relógio desperta novamente. Corro com ele dali. Levo para o ponto mais distante da casa e fecho três portas no caminho. O agito noturno perturbou meu sono. Custo a dormir novamente.

Às 4h30 ela sonha e fala sozinha. Eu espio para ver o que é. Às cinco e pouco, fala de novo. Pego na mão dela e tento dormir. Às 6h, a outra filha chora, mas não acorda. Só eu acordo. Em determinado momento, minha muralha macia desaba. Tem um pé em cima de mim. Às 7h minha companheira de trincheiras de lençóis acorda e me pergunta de primeira com a voz ainda rouca, ignorando meu estado quase inconsciente.

– Mamãe, você dormiu bem?

Pega de surpresa, não tenho coragem de falar a verdade, mas digo que a irmã dormiu a noite toda. Isso não é hora de levar a conversa adiante. Quero descansar.

– Posso te abraçar um pouquinho?

– Claro filha, chega pra cá.

Um tempo depois ela me solta e volta a dormir. Às 8h chega reforço externo. Às 9h preciso me arrumar para sair.

Algo naquela genuína preocupação infantil comigo me diz que uma noite não tem a menor importância. Sabe quando a festa está muito boa, e mesmo tendo quilos de obrigações no dia seguinte você faz o sacrifício em nome de momentos especiais? A gente toma um banho quase frio, se embebeda de café quente e capricha no corretivo como se nada tivesse acontecido. Ninguém reclama de ficar até tarde em festa. E criança é isso, festa surpresa, todos os dias.

o abraço salvador

Tem hora que Carolina faz com que eu me sinta um fracasso de mãe. A gente passa pelo primeiro filho se sentindo campeã nas gracinhas e dona de uma capacidade única de reverter o quadro de mau humor crônico infantil. Aí chega a segunda criança. O instrumento da Carol é o grito, a força física, a energia canalizada para a revolta. Se é contrariada, sai de baixo. A gente brinca, canta, tenta distrair, e nada. Como pode essa bichinha tão linda, com cara de Branca de Neve, que fica intermináveis minutos beijando meus pés e meus cotovelos, me empurrar com tanta força quando quer sair do colo? E chorar com tanta raiva quando é contrariada? Por que não consigo distraí-la, como costumava acontecer com Letícia? Que fracasso. "Só pode ser eu o problema", pensa logo a mãe, achando que todas as soluções do mundo passam pelo próprio comportamento. Mas eis que uma inspiração divina baixa em mim, algo ilumina minha mente e, de uma hora para a outra, eu coloco a criança no chão, abro os braços e me ofereço.

– Vem cá, filha, você está muito, muito chateada. Dá um abraço na mamãe – e a criança vem, com todo o seu beicinho, lágrimas nas bochechas e cabecinha baixa, na direção do meu abraço. Ela se entrega.

– Está melhor agora, Carol?

– Tá melhor – diz, deixando escapar um muchocho.

– Então senta aqui, que agora eu vou arrumar outro álbum para você desenhar, tá bem? Aquele era da Letícia.

De cabecinha baixa, ainda soluçante, ela responde:

– Tá bem.

Tentei outras vezes. E também funcionou. Passado uns segundos do acesso de fúria, ela se entrega ao meu abraço. Sem forçar a barra, sem recorrer a distrações sem sentido, eu a acolho, mostro-me solidária com a dor da contrariedade e aí sim, só então, apareço com uma solução arrasadora. Bingo!

quando eu for adulta...

Decidida, Letícia, aos 4 anos, me conta que já tem namorado.

– E nossas filhas vão se chamar Alice e Ana Luísa.

– Ah, vocês já combinaram até os nomes?

Depois de um pequeno silêncio, ela me olha com uma expressão de dúvida e pergunta:

– Mas como é que eu vou saber onde eu vou morar?

– Quando você crescer, você vai trabalhar e vai comprar sua casa no lugar mais lindo que quiser.

Num outro dia de manhã, enrolando uma hora para levantar da cama, como quase sempre, ela diz que não quer mais fazer natação. Eu tinha acabado de pagar o plano da academia para ela nadar e fazer balé, porque ela vinha me pedindo isso desde o início do ano.

– Ah é, não vai? Tudo bem. Vou te tirar da natação – digo, irritada. – Mas vou te tirar do balé também, porque isso não se faz. Você voltou porque quis e pediu para fazer as duas atividades no mesmo dia. Eu estava atendendo aos seus pedidos.

E saio, chateada. Ainda estou atrasada para um compromisso, e ela sem nem escovar os dentes.

– Nããão, mamãeeeee, do balé nããããão.

Volto ao quarto para ouvi-la e descubro uma criança tristinha.

– Não me tira do balé, porque eu preciso estudar muito balé para virar uma princesa quando eu crescer.

As manhãs em Brasília nesta época do ano são frias, ótimas para ficar na cama, ora. Que ideia também a minha. E por que ela não poderia sair de uma atividade e continuar na outra? Tinha que ser obrigada a cumprir um pacote? Batalha errada, disse para mim mesma.

– Eu sei, filha, não vou te tirar do balé nada, tá? Falei da boca para fora.

Ela assente com a cabeça como quem compreendeu perfeitamente minha situação de mãe.

– Que tal tentarmos mudar o horário da natação para outro dia e um pouco mais tarde?

– Boa ideia!

À noite, quando volto do trabalho, minha consciência ainda pesando pela briga desnecessária da manhã, reforço:

– Eu gosto muito de te ver fazendo balé, viu?

– Eu não quero que você me tire do balé, mamãe, porque eu vou ser princesa quando crescer, e vou morar na Disney.

– Na Disney?! – digo, surpresa. Disney nunca tinha sido assunto lá em casa.

Com a mão direita espalmada para o ar e a cabeça inclinada como quem vai dizer a coisa mais óbvia do mundo, ela me explica em tom didático:

– To-das as princesas moram na Disney, ué!

– Tá certo. E eu irei sempre à Disney te visitar, tá?

– Tá bom.

Com um nó na garganta, conto uma história, e ela dorme, encantada como num conto fantástico, sonhando com castelos. Chego na sala, onde meu marido assistia ao futebol, e reproduzo o que tinha acontecido. Eu precisava desabafar.

– Eu não quero que ela vá morar na Disney.

– Eu também fico com vontade de chorar quando ela fala umas coisas assim – responde ele.

– E se ela for morar na Disney mesmo? A Disney é muito longe!

A gente se encara por uma fração de segundo, em silêncio, e quando algumas lágrimas ameaçam chegar, começamos a rir.

– A gente compra uma casa bem grande para ela morar com a gente, com o namorado e nossas duas netas – sugere ele.

– De quebra a gente ainda resolve aquele problema de ela não saber onde vai morar.

o milagre do sal rosa

Quando cheguei da rua à noite, trazendo a filha mais velha da escola, encontrei pai e a outra filha de cara amarrada em casa. Ele chateado com a enrolação dela para jantar, ela incomodada com tudo ao seu redor. E dá de chorar, de me seguir pela casa com os pedidos mais estapafúrdios, de não querer comer, nem sentar, nem brincar ou dormir. Queria olhar de perto o picolé de morango que eu havia trazido de surpresa, e tenta se pendurar na geladeira. Dá de chorar.

– Tá difícil – ele me avisa.

Lembrei que, naquela manhã, ela tinha sido a primeira a se levantar, às 6h40, tendo dormido tarde na noite anterior. Estava exausta. Enquanto buscava uma estratégia para apaziguar aquele drama todo, ia me livrando de bolsa, sapato, roupa. A mais velha enrolava para entrar no banho, e a mais nova se jogava no chão. Inventei uma história qualquer sobre meu dia. Não adiantou. Disse que queria contar para ela um segredo. Não funcionou. Destaquei que aquela não era a reação que eu esperava depois de ter trazido um picolé para ela comer de sobremesa. Meu drama pessoal não colou. Perguntei se ela queria que eu devolvesse o picolé. Aí piorou. E chora mais. Se queria que eu desse o jantar; também não. Gritou. Se queria dormir, então, sem comer.

– Não, não quero você.

Fingi que não liguei. Saí de perto. Ela foi atrás gritando, chorando, reclamando.

– Você quer jantar, é isso?

– Nããããão.

– O que eu posso fazer por você?

– Eu num quero a cenoura, eu não gosto de cenoura. Tira a cenoura do prato – aos berros, reverberando por toda a casa.

– Mas você sempre come cenoura. É importante a gente colorir um pouco a comida, faz bem para os olhos...

– O melhor para mim é não comer cenoura. Você não gosta de mim. Se você gostasse, não ia me obrigar a comer cenoura.

Ela sempre pega pesado comigo. Só que eu precisava de uma estratégia rápida porque, naquela noite, a culpa não era minha, e sim da cenoura – o bode expiatório da vez. Àquela altura, eu já tinha decidido que, da queda de braço entre minha paciência e a rebeldia dela, eu ia ganhar. Havia uma paciência infinita em mim. Então, eu precisava deixar claro que a cenoura era a vilã, não a mamãe. Tirei o legume do prato e transferi para outro menor. Ganhava tempo. Comecei a picar o tubérculo bem pequenininho, e fui falando no tom mais doce possível diante do choro ininterrupto. Disse a ela que a maneira como eu gostava de comer cenoura era assim.

– Não sei se você já experimentou.

– Não que-ro!!!

Primeiro lancei um fio de azeite. Peguei o frasco e completei duas voltas em cima do prato, como o sobrevoo circular de uma abelha sobre a flor.

– Agora o toque mágico – eu disse. – O sal rosa!

Ela já tinha parado de chorar e me olhava desconfiada. Aproveitei a deixa.

– Não sei se esta é a maneira como você gosta da sua cenoura, mas este sal rosa deixa tudo muito mais gostoso. Você já reparou isso, Carol?

De repente, ela embarcou na minha. A nuvem preta se dissipou e o tempo começou a abrir lá em casa.

– E alho frito, mamãe. Aquele sem sal, porque já tem sal rosa!

– Claro! Eu já ia me esquecendo. Pega rápido o alho!

Ela abriu o armário e pegou o pote de alho frito. Um raio de sol apareceu.

– Você quer colocar, ou deixa para eu fazer?

– Eu coloco!

– Ótimo. Então pega uma colherzinha, por favor?

A menina, agora prestativa, abriu a gaveta e sacou o talher. Veio toda feliz dar o toque final na cenoura picadinha. Era de noite, mas eu enxergava uma linda manhã ensolarada. Antes de começar, olhei misteriosamente para a cenoura.

– Você deixa eu provar primeiro? – pedi.

Com cara de quem até queria me agradar, mas não seria capaz, ela disse:

– Ah, mamãe...

Fiz minha melhor expressão de cachorro pidão.

– Tá bom, mamãe, eu deixo – disse, e ficou me espiando.

Fui adiante com o plano e provei. Fiz cara de mistério *à la* Ana Maria Braga e dei meu veredicto.

– Maravilhosa! Vou fazer pra mim agora.

Ela se adiantou para comer a cenoura.

– Huumm... Mamãe, que delícia.

E começou a comer o legume. Lá pelas tantas, eu disse:

– Vê se não come só a cenoura, hein, olha o arroz, o feijão e o franguinho.

– Eu vou comê uma colher de cenoura e outra de comida, tá bom assim? – ela perguntou, querendo negociar.

Eu, me fazendo ainda de força antagônica contra a qual a filha precisa lutar, concordei com ressalvas. É preciso manter a divisão internacional dos papéis familiares, e eu sou aquela que manda.

– Mas só uma de cenoura por vez. Não vale pegar duas seguidas. E não esquece o franguinho.

Feliz, ela concordou, justo quando Letícia chegava à cozinha. A criança mais velha me lançou aquele olhar incrédulo como quem pergunta: "É isso mesmo que está acontecendo?". Pisquei.

Diz o rótulo que o sal rosa é extraído de minas secas do Himalaia. Possui 84 ingredientes minerais essenciais ao funcionamento do organismo. Vou sugerir ao fabricante acrescentar o seguinte grifo: *Usado com moderação e na ocasião certa, também auxilia na execução de pequenos milagres.*

bom é ter irmã

Eu contava uma história educativa para Letícia, mostrando para ela que às vezes é difícil ser cordial, que ninguém é legal o tempo todo, mas que devemos nos esforçar para sermos gentis, inclusive consigo mesmo.

– Com quem você passa a maior parte do tempo?

– Comigo? – ela respondeu, na dúvida.

– Pois é. Você dorme muitas horas por dia. Com quem você está quando está dormindo?

– Carol! Eu nunca estou sozinha.

Verdade. Eu estava grávida ainda quando algumas pessoas olhavam para minha filha mais velha e faziam aquela cara de "já-vi-tudo-o-que-vai-acontecer" e me passavam uma previsão não solicitada: se prepara para o ciúme!

O tempo passou, a bebê nasceu e as previsões não solicitadas continuaram. "Se prepara para o ciúme." Eu pensava "faço o quê?". Leio livros? Compro manuais? Coloco uma roupa nova e penteio o cabelo para esperar o ciúme chegar?

Agora que a bebê anda, faz gracinhas e adora chamar atenção, as pessoas são mais diretas e curiosas. "E aí, está com muito ciúme?", perguntam, apontando o olhar para a mais velha. Finalmente me sinto em condições de dizer alguma coisa, porque enquanto eu tinha só que me preparar não havia nada a dizer.

Digo o seguinte: a mais velha é extremamente carinhosa com a irmã. Brinca, acha graça, abraça, inventa apelidos carinhosos e ainda pede mais irmãs. Começou quando a pequena tinha apenas alguns dias e os vestígios da gestação ainda estavam impressos no meu corpo. Pedia mais três! Eu achava tão absurdo que não entrava no detalhe se ela queria três a mais, ou três contando com a que nasceu.

– Trêêêêês, querida? É muita gente. Filho custa caro – disse para ela.

– Custa nada. O bebê vem na sua barriga, a gente não compra em loja...

– Mas vamos precisar de um carro maior. Carro custa caro.

– A gente compra uma van!

Ciúme entre irmãos é normal. Alguns teóricos dirão que, ao pedir mais irmãs, ela está na verdade traçando um plano inconsciente para acabar com o reinado da caçula. Sim, o ciúme cria artimanhas para aparecer.

O grau da manifestação do ciúme irá variar com o passar do tempo e dependerá, de uma série de fatores que vão da personalidade da criança, passando pela maneira como os pais prepararam e lidaram com a situação de ter mais de um filho, até a personalidade da segunda criança. Temos aí ingredientes suficientes para combinações infinitas. Lidar com esse sentimento exige paciência e, muitas vezes, orientação.

Acredito que a diferença de idade entre as minhas filhas – três anos e nove meses – facilitou o preparo da maior para receber a menor. Conversávamos muito em casa sobre tudo o que ia acontecer, sobre as mudanças que estavam a caminho. Comprei livros que mostravam crianças enciumadas, sem expressar verbalmente o que sentiam. Estimulamos muito a mais velha, sempre, a dizer o que sentia. Até eu me surpreendi com o grau de maturidade com que ela aceitava, resignada, que eu interrompesse nossa brincadeira para amamentar a irmã.

– Acho que você tem que ir lá, né? – ela me dizia, conformada. – Vai, mamãe!

Ciúme é um sentimento normal e está tão inserido na nossa vida quanto a respiração. Ninguém percebe ele ali até que algo errado aconteça.

A filha mais velha nem sequer ficou doente – processo tão comum nas crianças, de somatizar o que não compreendem. Se ela ameaça acordar de mau humor, trago logo a pequeninha pra fazer bagunça na cama e o que seria um protesto dá lugar a um lindo sorriso fraterno. Vem dizendo que "adora ser irmã mais velha" e, volta e meia, pede à Papai do Céu que a irmã "fique cada vez mais fofinha". Ah, sim, e continua insistindo em ter mais irmãs, embora tenha reduzido a quantidade para uma. "Umazinha só, mamãe."

Isso significa que a mais velha nunca tenta chamar a atenção para si? Claro que não. Pequena como ainda é tem direito à sua cota de besteiras. Rouba chupeta, entra no berço sem autorização e adora brincar com os brinquedos da bebê, o que é bastante compreensível, já que a bebê adora roubar os dela. E testa nossa paciência, como só as crianças sabem fazer – os filhos únicos, os caçulas ou os mais velhos.

Da relação fraternal, surgem situações engraçadas e tocantes, que valem por centenas de implicâncias, como no dia em que a bebê agarrou repentinamente a irmã e esta, com os braços esticados ao longo do corpo, como que para não derrubar sem querer a pequena, soltou a frase que virou um dos nossos bordões familiares preferidos: "Ih, começou o amor."

O bom de ter irmãos é que esse amor – sufocado sob brigas esporádicas e manifesto em preocupações comoventes – recomeça sempre.

Outro dia, quando chegamos em casa de noite, a bebê estava deitada no tapete. Tinha fugido do banho, usava apenas fralda e mordia a chupeta de lado. Quando nos viu, não levantou como de costume. A irmã, distraída, olhando para a televisão, fazia carinho em sua barriga. A cena preguiçosa se estendeu por alguns momentos sob nosso olhar.

– Ninguém vai levantar não? – protestou o pai.

Não, ninguém levantou. Tinha começado, novamente, o amor.

teste da orelhinha

Realizado muitas vezes em casa, o teste da orelhinha é um diagnóstico preciso e precoce sobre a audição do recém-nascido. Como o bebê não diz se está ouvindo o que você fala, a medicina resolveu o problema com uma bateria de testes, simples e indolores, para te deixar tranquilo quanto à audição do bebê.

Sorrimos felizes ao receber o diagnóstico reconfortante sobre as duas meninas. De acordo com os otorrinos, elas ouvem perfeitamente bem. O teste perde a validade porque é feito numa idade muito precoce e é isso que ninguém diz aos pais.

Elas ouviam bem.

Lá pelos 4 anos de idade, a criança começará a manifestar surtos de surdez. Ela deixará de te responder: não lavará as mãos, nem abrirá a boca para mais uma colherada. Aos 5 anos, as crises de surdez se tornam mais frequentes. Você pede alguma coisa, e a criança não responde. Você repete, fala mais alto, e nada acontece.

Se ela estiver de frente para a TV, não adianta nem aumentar os decibéis de sua voz. Perda de tempo. Nesse ponto, a audição da criança está totalmente bloqueada a sons estranhos ao da televisão.

Incompreensivelmente, alguns pais perceberam que, ao jogar no final da frase uma palavra de interesse da criança – por exemplo, "ganhar pirulito" –, ela volta a si, aciona a parte do cérebro responsável pela audição e pergunta "o que, mamãe?".

Nos casos mais graves, a surdez vem acompanhada de uma falta de percepção espacial, já que a criança parece nem sequer notar a sua presença.

Pelo que ouço falar, a coisa piora ainda mais durante a adolescência. Se o Ministério da Saúde baixar um protocolo exigindo o teste da orelhinha nos adolescentes, encontrará um elevado número de jovens com dificuldades de ouvir os pais.

"coelhinho da páscoa existe?"

Senti que teria uma conversa difícil pela frente quando minha filha mais velha me olhou com um ar solene e anunciou:

– Preciso te fazer três perguntas.

Era domingo de Páscoa, e ela tinha reclamado da ausência de patinhas do coelhinho pela casa. Este ano, escondemos pistas e brincamos de caça ao ovo com as duas meninas, de 7 e 3 anos.

A primeira pergunta chegou certeira.

– Coelhinho da Páscoa existe ou foram vocês que escreveram as pistas?

Sob o olhar inquisidor dela, e o da pirralha ao lado com cara de "que papo é esse", tentei mudar de assunto. Não consegui. A menor continuava oscilando o olhar entre mim e a irmã, como quem tenta entender ainda aonde iríamos chegar com aquela conversa. Eu ganhava tempo refletindo sobre o papel da imaginação no mundo da criança, das histórias fantásticas, do poder de acreditar naquilo que não se vê. Mas eu nunca levei muita fé na história do coelhinho e me sentia impossibilitada de incentivar a crença por muito tempo. Quando tivemos uma folga, falei a verdade.

– Você foi comigo comprar o ovo da sua irmã, você viu que fui eu quem comprou.

– Tá, mas quem escreveu as pistas?

– Filha, que resposta você gostaria de ouvir?

– Que o coelhinho existe!

Com uma lança cravada na minha costela, engoli em seco, e respondi.

– Mas eu não posso te dizer isso.

Com os olhos marejados, ela continuou me olhando.

– E Fada do Dente? Quem colocou aquela moeda embaixo do meu travesseiro?

Àquela altura, eu estava achando que era revelação demais para um dia só e estava me odiando por decepcioná-la. Não podia desmanchar tantas fantasias infantis de uma só vez. Preferi dar à fada o benefício da dúvida.

– Vou te falar a verdade. Naquela manhã, seu dente sumiu e até hoje não sabemos como e nem o porquê.

É verdade. O dentinho guardado embaixo do travesseiro desapareceu.

– Diante desse sumiço, eu e seu pai, sem saber o que fazer, achamos melhor te dar a moeda em troca. Não sei te dizer ao certo o que é essa fada, mas é bom acreditar que seres fantásticos e bons tomam conta da gente de alguma maneira.

Ela sorriu, ainda na dúvida, e lançou a terceira pergunta.

– E Papai Noel, existe?

– O que você acha?

– Uma vez eu vi um brilho na janela.

– Ele é diferente e vou te explicar por quê.

Resolvi contar um pouco a história de Cristo, essa que conhecemos há mais de dois mil anos, repleta de milagres e bondade com o próximo. Falei dos princípios defendidos por ele a nos guiar até hoje. Ajudar, ser generoso e, sobretudo, acreditar em milagres, porque eles acontecem todo dia, perto da gente, sem que a gente se dê conta. Uma doença que vai embora, uma viagem que dá certo, uma brincadeira que nos deixa feliz, um desejo que se realiza, um presente inesperado, são todos pequenos milagres do nosso dia a dia. Há outros mais fantásticos e que a gente não sabe explicar como e nem por que aconteceram. É nesses que devemos acreditar sempre.

– Você mudou de assunto! – ela protestou, rindo.

– Não mudei não. Eu queria te dizer que Papai Noel é um milagre de Natal.

– Ah, então basta acreditar nele?

– Acho que sim. Papai Noel é um milagre sobre a realização dos nossos desejos.

– Se ele realiza desejos, por que não me dá logo um tablet?

Amadurecer é isso: trocar lendas por milagres.

meninas de 6 anos

Perto dos 6 anos, as meninas parecem muito grandes para nosso colo, responsáveis, desafiadoras e independentes demais, com provas materiais de maturidade de fazer a gente duvidar da real idade que têm. Foi com essa perspectiva em mente que eu disse para ela:

– Você já escova os dentes sozinha, muda a roupa sozinha, se penteia, se limpa, come, toma banho, tudo sozinha! Eu acho que você não precisa mais de babá, só a sua irmã.

Com um meio sorriso nos lábios, ela respirou fundo e estufou levemente o peito antes de concordar comigo.

– Também acho, mamãe.

Eu sorrio de volta, ouvidos adoçados por aquele timbre de voz ainda muito infantil.

– Estou muito orgulhosa de você.

Aí ela foi descendo a escadinha de madeira, onde estava para alcançar a pia e escovar os dentes comigo, me deu a mão e me olhou, lá de baixo, como sempre faz e, por um curtíssimo intervalo de tempo, eu a observei.

Daquele ângulo, com o nariz empinado, o branco perfeito dos olhos se sobressai, como páginas sem letra, livro aguardando tintas e história. Metade da pupila fica escondida pelas pálpebras, um olhar lânguido de admiração e de perguntas que nunca fez. Um sorriso inocente pontuado por diminutos dentes de leite aparece inteiro para mim, emoldurado por um rosto de pele tão imaculada que nem seis anos parecem ter passado por ali.

É forte e vulnerável. Dependente da gente. Muito inocente. O corpo magro e ágil me pareceu demasiadamente frágil. Senti a mãozinha quente e pequena abrigada no aconchego da minha.

Muito grande para colo? Madura e responsável? Quem começou com esse papo de independência?! Mãe tem cada uma...

diálogos sobre o medo

— Medo a gente enfrenta – eu dizia para ela.

– E por quê? – quis saber.

– Porque depois a gente se sente melhor, com um sorriso grande e silencioso dentro do peito, com orgulho de si mesma por ter enfrentado um desafio – completei.

Depois de um curto pensar, olhou-me novamente com tanta dúvida, que eu mal sabia o que poderia responder antes mesmo de conhecer o que ia vir dela.

– Mamãe, todo desafio a gente tem que enfrentar?

– Não, não tem.

– E como eu vou saber qual eu devo ou não devo enfrentar?

– Na hora você vai saber.

Senti que eu tinha sido insuficiente, até que uma nuvem carregada com a minha história pairou acima de nós, no quarto. De lá da nuvem, eu precisava sacar alguma memória capaz de simplificar o medo – medo que todos temos –, porque, enquanto fugimos da infância e entramos na rota da independência, qualquer um pode derrapar. Mas eu era uma menina com muitos medos, muitos mais do que minha filha, a pequena e destemida primogênita, poderia imaginar.

– Você vai escolher os desafios que valham a pena e que, principalmente, não te ponham em risco. Se alguém te desafiar a pegar um brinquedo na linha do trem com o trem vindo, você vai lá pegar?

– Não!

– E se alguém te convidar para uma competição de natação em mar aberto, com salva-vidas acompanhando os atletas em barcos, você vai?

– Vou!

– Mas se tiver tubarão na água, você entra?

Rindo, horrorizada, respondeu:

– Nããão, né, claro que não!

– Viu que medo bom? Vai impedir que você caia nas garras de um tubarão!

Rimos.

– E está provado que você sabe discernir.

– O que é discernir?

– É conhecer a diferença das coisas. Do medo que precisamos combater e do medo que a gente deixa lá, parado, quieto.

– Esse meu medo eu tenho que enfrentar?

– Tem!

– Hummm... Mas e se eu não conseguir?

– Eu estou do seu lado e confio em você. Você não deveria se preocupar em não conseguir.

– Mas não consigo parar de pensar.

– Então pense na coisa boa depois do medo.

– Como assim?

– Eu também tenho medos, mas, para me livrar do medo, eu penso na coisa boa que vem depois. Sempre tem algo bom depois de vencer o medo.

– Tem?

– Uhum. Quer saber quando eu tive medo?

– Quero.

– Há seis anos. Quando você ia nascer. Começou aquela dor de neném querendo nascer... Porque dói, vai doendo. Dói e para, dói e para, em intervalos cada vez mais curtos. Eu senti um pouco de medo.

Ela me olha, admirada. Continuei.

– Mas o medo passou quando eu lembrei que eu ia conhecer você! A gente nunca tinha se visto!

Ela riu.

– Você era a coisa boa que deixou meu medo para trás.

– Mas mamãe, e se...

– Shhhh. Chega de falar de medo.

– É que...

– Dorme. Você já pensou demais sobre isso. Boa noite. Shhhh.

Tem hora que a gente precisa colocar o medo no lugar dele, porque se der corda demais, ninguém dorme.

espelho, espelho meu...

Deitada de lado na cama, com o braço dobrado e a mão apoiando a cabeça, Letícia copia minha posição. Está com essa mania há algum tempo. E faz quase sempre na hora de dormir. No que eu deito com ela para a gente conversar, contar história e agradecer pelo dia, ela resolve repetir tudo que faço e digo. Na mesma entonação.

– Por que você faz isso? – eu quis saber.

– Por que você faz isso? – ela repetiu.

Eu ri. Ela riu. Eu a olhei mais profundamente. Ela me olhou também.

– Agora fala para mim, o que você acha engraçado?

– Agora fala para mim, o que você acha engraçado?

Daí seguimos numa sequência de caras, bocas e caretas para ver se ela desconcentra, e nada. Até que eu deito, fico bem quieta e digo "agora vou dormir". O "agora vou dormir" dela não tem o mesmo significado, claro. Espio com o canto do olho, e flagro os dela abertos.

– Você é engraçada – digo.

– Você também.

– Parecida comigo, né?

Ela assente com a cabeça, como quem gostou de ouvir o que eu disse. Faço a cara de adulto "das lembranças da minha infância", aquela expressão de quem sabia demais e não ia contar. Ela imitou.

Queria botar um filtro nessa imitação. Passar para ela apenas o meu melhor – ou o que eu julgo ser o meu melhor –, para que em cima disso ela crie os próprios trejeitos. Pudesse eu indicar o que deve ou não ser imitado, eu diria, esqueça meus erros (sejam eles quais forem), minhas contradições e minhas limitações. Saiba que você nasceu para ser você, mas já que será inevitável carregar algo de mim, selecione apenas o que for leve, leve a ponto de você não sentir. Quero que minha herança seja tua capacidade de se distinguir de mim e dos outros, para que eu não sofra quando nos separarmos definitivamente, e você não vir mais graça em me imitar.

Peguei nas mãos de minha filha e comecei a massagear para ela relaxar e dormir. "Oba, adoro isso", ela diz. Em pouco tempo, o transe era meu. Estava absorta, pensando na vida, enquanto pegava em cada um de seus dedos e pensava que já foram menores, bem menores, úmidos e babados, amalgamados com minha pele, meu peito. As mãos agora pesam, mas ainda cabem dentro das minhas.

– Filha, você está crescendo rápido demais.

– Eu sei – ela respondeu de olhos fechados.

Aí virou para mim, no escuro do quarto, e, com aquela expressão de quem chega à alguma conclusão, disse:

– Eu nem lembro mais como é estar na sua barriga! Se é confortável, apertado...

– Eu acho que no final ficou apertado.

Sem falar nada, com um olhar sapeca me disse:

– É, pode ser.

Ela voltou a fechar os olhos, enquanto os meus embaçaram...

efeito borboleta

Dias antes do nascimento da minha primeira filha, eu me preparava, certa manhã, para uma consulta com o obstetra. As visitas ao médico tinham encurtado para o espaço de sete dias porque eu já contava quase quarenta semanas de uma gestação sem contratempos. Tudo ia bem e aguardávamos tranquilos Letícia dar sinal, para um parto normal.

Naquela manhã, no entanto, algo inesperado aconteceria. Minha mãe estava na minha casa quando de repente saiu correndo do banheiro em roupas íntimas, perseguida por uma borboleta preta. Era, na verdade, uma bruxa, um tipo de mariposa gigante. Como aquele inseto havia entrado num banheiro sem janela, nunca saberemos. Para sorte da minha mãe, o genro não a flagrou correndo pela sala de calcinha e sutiã. Para meu azar, ao me aproximar para socorrê-la, encontrei pela frente o inseto em seu voo desnorteado em uma trajetória errante na minha direção. Mais um grito ecoou pela casa, o meu.

Nessas horas, a gente esquece que ganhou uma barriga, mas perdeu destreza e desenvoltura. Assustada, corri, tropecei e instintivamente protegi a barriga com meus dois braços. Fez as contas? Não sobrou nenhum braço para evitar o choque do meu joelho esquerdo com o chão e da minha cara com a parede. Aquilo doeu bastante, e doeu ainda mais diante da expressão de pânico do meu marido quando ele me encontrou no chão, com rosto e joelho sangrando. A barriga e Letícia saíram intactas e a lembrança da borboleta desnorteada com mamãe em fuga nos fez rir.

Foi com a maçã do rosto um pouco roxa e o joelho bem machucado que fui parir Letícia na manhã do dia 10 de novembro de 2005, depois de uma noite inteira em trabalho de parto. Quando passavam das dez da noite do dia 9 de novembro, já não aguentávamos mais esperar em casa e fomos para a maternidade. Meu médico saiu mais cedo da comemoração do aniversário da filha para nos encontrar e, conforme havíamos combinado, levou junto a aniversariante, recém-admitida na faculdade de Medicina, para assistir pela primeira vez a um parto.

A noite seria muito longa e a plateia do parto, maior do que eu esperava. Havia o médico com a filha e meu marido, aí chegaram a moça contratada para a filmagem, enfermeiras e enfermeiros que entravam, cada hora um, para fazer não sei o que, depois o pediatra e, por último, o anestesista, convocados também para ajudar na manobra final, antes que eu desistisse de expulsar Letícia. Eu estava cansada demais para me importar com tanta gente e quase pedindo arrego, depois de ter passado mais de vinte horas com contrações. Por um momento, achei que a plateia estava incompleta. Faltava minha mãe. Eu queria a minha mãe.

Odiei a ideia de ter filmado aquilo tudo e acabei recebendo um DVD com ângulos ginecológicos e caretas – impossível de ser compartilhado. Não era a recordação desejada. O verdadeiro acontecimento jamais seria capturado por uma câmera. Não seria detectável nem pelo mais sensível dos equipamentos. Não era o cansaço, o desgaste e nem a dor. Não era sequer a criança saindo de dentro de mim. Era o início de uma família e de laços sendo trançados entre as correntes invisíveis unindo nossos corações.

Efeito borboleta é uma tese dentro da teoria do caos. Segundo esse princípio, fatos distantes estariam encadeados de tal maneira, que em determinadas condições até o deslocamento de ar provocado pelo bater de asas de uma borboleta poderia provocar uma tempestade do outro lado do mundo. Não é bem assim, mas em resumo é quase isso.

O episódio da mariposa preta na minha casa antecedeu, de certa forma, um tufão dentro de mim. Toda vez que me lembro dele, enxergo uma pequena metáfora desse adorável caos que é a história diária de uma família.

Como mãe, a gente se arrisca, corre demais, age por impulso e amor. Leva sustos. Erra e acerta numa mesma ação, chora e ri dos orgulhos e das mancadas – não necessariamente nesta ordem. Tenta amparar os filhos a qualquer custo, principalmente quando eles são mais vulneráveis, mesmo que, para isso, a gente quebre a cara.

um filho nunca é igual a outro

Foi o pediatra quem nos deu o diagnóstico. "Essa é uma criança de verdade", disse, rindo da nossa cara. "A outra era um anjinho." Ele se referia à aversão da segunda criança a legumes e frutas. Ela não aceita fácil nada do que a gente oferece, propõe ou dá; nem se comove com nossos pratos coloridos. Cresceu se recusando a experimentar alimentos novos e tão logo aprendeu a falar, tratou de se explicar detalhadamente. Não confia em legumes. Afirma ser amiga dos "pãos" e se definiu como docívora, nada carnívora. Engrossa a voz para implicar com a irmã, mas sai correndo se for ameaçada por mãos que tocaram em uvas. Limpa a boca com guardanapo, roupa e pano de prato. Sobe na estante e se pendura na geladeira. Aparece com coisas mínimas dentro da boca. Deita em qualquer chão, inclusive o da rua. Comeu sabão. Esquece de lavar as mãos. Usa minha maquiagem. Faz exatamente o contrário do que a gente pede. Basta dizer "não toque" para ela interpretar como um desafio à sua coragem de seguir adiante; coisa dela. Cisma de escovar os dentes sozinha e acaba engolindo pasta. Não me deixa pentear seus cabelos. Sobe a calcinha enquanto ainda estou no processo de limpá-la.

Eu não lembro da primeira filha, aos 4 anos, ter gritado socorro porque estava entalada com a cabeça no assento e o resto do corpo para fora de uma cadeira, incapaz de sair sozinha da situação. Uma vez a primogênita se enrolou na cortina e ficou parecendo uma lagarta sufocada em seu casulo, é verdade, mas a capacidade da segunda de se meter em encrenca parece insuperável.

Letícia com 4 anos comia frutas, legumes e topava experimentar pratos diferentes. Se não gostasse, encerrava a história ali. Pensando bem, Carolina também prova, se for condimentado e lembrar minimamente queijo.

A primeira filha entendia o significado de perigo. Se eu dizia que botar algo pequeno na boca era perigoso, ela assimilava a mensagem. Adorava penteados. Lavava as mãos com sabão ao chegar da escola antes de pegar na irmã ainda bebê. Usava os vestidos que eu sugeria. Era teimosa como uma criança, mas cedia quando recebia explicações didáticas sobre determinadas situações. "Estamos com pressa, você precisa me ajudar para a gente não se atrasar", e ela ajudava. Se eu digo o mesmo para a menor, ela corre na direção contrária. Tivemos que reaprender a lidar com criança.

Aos 4 anos, Letícia era uma menina independente com rudimentos de responsabilidade. Carol é apenas independente. Letícia fazia besteira sem querer. Carolina parece fazer de propósito. Quando eu contava história, a primeira interrompia para entrevistar os personagens individualmente e tentar encontrar a motivação de cada um para ter feito o que fez. "Lobo, por que você comeu a vovozinha? Não era melhor ter comido só o lanche?". A segunda interrompe para traçar paralelos ou para tentar mudar meu roteiro. "Uma vez, eu e minhas amigas brincamos de tigre no recreio, não era lobo." Desvia o foco.

Aos 4 anos, Letícia procurava imitar meu jeito e até meu corte de cabelo. Queria usar roupas iguais às minhas, o que mexia com meu orgulho. Carolina tenta imitar Letícia, seu ídolo maior, o que me emociona. Ela ainda é muito pequena e por ser a menor da casa corre feliz para a porta a fim de nos receber – um estímulo para a irmã não abandonar de vez esse hábito do qual sentiremos muita falta no futuro. O amadurecimento de uma acaba puxando a outra para desafios antecipados. A infantilidade da segunda estica mais um pouquinho o sabor da infância lá em casa. Letícia ajuda Carolina e vice-versa. Dessa mistura de amor e provocação, saem ganhando as duas. Por causa da diferença de idade, concorrem em desigualdade em vários quesitos, mas não tenho dúvidas de que ambas precisam de muita atenção.

Amigos relatam histórias semelhantes: o caçula parece ter sido programado por fabricante diferente. Filhos nunca são iguais. Suas particularidades provocarão em nós reações distintas em contextos inéditos. A equação família não é fórmula matemática. Olhando assim, fica parecendo que as cenas se repetem na casa de todo mundo, mas um roteiro de vida, como um filho, nunca é igual ao outro. Ele é curiosamente tão rico e variado quanto universal.

pequenos e grandes corações

O plano era pegar um cinema com meu marido depois do trabalho. Uma segunda sem lei é o que um casal – em busca de retomar a vida social a dois – precisa. Naquele dia, porém, eu não queria mais. Um vazio de vontade se apossou de mim. "Não sei que filme quero ver, não peguei dica com ninguém, nem o horário. Talvez chova." Eu era um poço de indecisão e indecisão é o começo do fim de uma ideia. Não há bons ventos para aqueles que não sabem aonde vão. Naquele dia, eu não queria que ventasse. Vela recolhida, eu era um barco procurando a corrente que me levaria para minha casa.

Há dias em que o inesperado da vida nos deixa pequenos. Você ouve uma história triste, fica sabendo de uma notícia preocupante, toma como sua a dor de outra família e se dá conta do que realmente importa, porque, neste exato momento, tem alguém enfrentando uma barra mais pesada do que a sua, fazendo um sacrifício que a vida jamais te exigiu. Tem gente enfrentando dor, luto, doença e separação.

O cinema podia esperar. Entrei quase em silêncio em casa, me livrando de sapatos e bolsa, rumo à algazarra que vinha do banheiro. Abro a porta e sou recepcionada por saudações felizes. A euforia aumenta com as histórias simultâneas que começam a ser contadas, com vozes que se elevam na tentativa de chamar minha atenção. Quem chega por último da rua é sempre brindado com essa recepção caoticamente deliciosa.

Cabelos ensaboados, crianças peladas, o pai encharcado; virei plateia. A mais velha pôs-se a fazer palhaçadas. A menor apoiava as mãos no blindex para ver se eu olhava só para ela. Olhei. A mais velha está na fase das piadas pensadas e das tiradas inteligentes. A mais nova é das bobeiras involuntárias – nem ela se percebe tão engraçada.

Aquela era a cena do filme que eu queria ver. Sento sobre o tampo da privada para secá-las e vesti-las. A criança na minha frente fala, pulando no mesmo lugar. Sorri à toa. Está de bom humor e seus olhos amendoados quase fecham de tanto gargalhar. A janela na boca revela gengivas inchadas com dentes permanentes querendo sair. Um nariz pequeno, incapaz de segurar meus óculos de sol, está cada dia mais perfeito. Os cabelos, compridos demais, "precisam ser aparados", eu penso. Mas não agora.

Apesar do barulho, elas parecem um filme mudo na tela da minha retina enquanto eu filmo detalhes daquele momento para toda a eternidade. A criança pequena também fala se mexendo, marcando o ritmo binário de uma valsa desengonçada com um passo para um lado, e o segundo para o outro. Faz isso enquanto pensa e busca uma versão própria da história que a irmã acabou de me contar. Ela fala alto. Eu peço para baixar um pouco o tom. Muito clara, ela é ainda um pouco neném, com pernas roliças e aquele jeito descontraído de quem não está nem aí para a própria nudez. E me anuncia o óbvio: "Tô pe-la-da." E corre dali. Eu não saio do lugar. "Volta, filha." E a filha não volta. "Volta, filha!". Mas ela só retorna quando eu paro de chamar.

Faço cara de quem está conseguindo ouvir as duas ao mesmo tempo. Finjo que minha cabeça acompanha a pulação da mais velha, para cima e para baixo, para cima e para baixo. Elas riem. Eu também. O sorriso banguela me fisga no meio do caminho. Vou sentir saudades dessa gengiva exposta quando os dentes brotarem. "Quando nascerão esses dentes, afinal?". Pergunto isso a ela, que levanta os ombros com aquele ar de "eu deveria saber?", e ri agitada. "Estou agitada, estou agitada", ela me anuncia o óbvio de novo, como se eu não tivesse percebido.

O marido molhado passa por mim, suspira, rindo. Está cansado. "Foi melhor não sair", e me beija. A criança que saltava no lugar não consegue enfiar a perna no short. Enfia a segunda no mesmo buraco de tão distraída, e ri de si mesma. "Foi mal", ela diz, como se precisasse se desculpar.

De madrugada, a caçula irrompe quarto adentro. Quer dormir na nossa cama. Está com medo. Eu, bêbada de sono, não tenho forças para refutar, e Eduardo, cansado, não protesta. Ela se deita e se cobre até a cabeça com nosso lençol. "Tem monstu, mamãe", e a palma da minha mão no peito dela percebe um coração disparado de medo. Eu a aconchego junto a mim e fico acariciando aquela cabecinha cheia de imaginação, dizendo que está tudo bem agora, porque eu estou aqui.

Enquanto a criança assustada não dorme, eu me perco naquele abraço e não me importo com o sono que se esvai. Não agora. Naquele mesmo instante, uma outra família fazia vigília em torno de um pequeno coração operado que há de se recuperar totalmente, porque nele cabe todo o amor desse mundo. Nossas crianças têm medos e fragilidades, mas nos ensinam a sermos fortes.

o dente mole

– Meu dente tá mole! Meu dente tá mole!!!

Eufórica, ela não parava quieta para eu checar a novidade.

– Para, filha, deixa eu ver.

Boca aberta, olhos arregalados me fitando de lado enquanto eu levantava um pouco o queixo da menina para me aproximar do dente. Mínimo demais, um desafio para minha hipermetropia. Meu dedo mal conseguia detectar movimento, mas havia certa instabilidade. Era um movimento sutil, o do primeiro dente mole.

– Vamos contar para o papai?

– Vamos, filha, vamos!

Chegamos na sala solenes. Deixei que ela desse a notícia. Falou pulando no mesmo lugar, como fazem as crianças com uma novidade para contar.

– Meu dente tá mole! Eu vou ganhar um dente permanente!

Atrás da cena e fora de foco, estava eu, afogada em silêncio e muda de lágrimas.

– Mamãe? Você tá chorando? De verdade?

– Ah, filha, é muito legal ver você com dente molinho, um acontecimento tão especial, não é? Estou emocionada.

Ela suspirou, inclinou a cabeça como se fosse uma menina de desenho animado e piscou forçadamente para mim várias vezes.

– Eu também estou emocionada, mamãe – disse a protagonista do meu gibi particular. Abraçada a ela, chorei mais.

A primeira infância vai de 0 a 6 anos. Nesta fase, estamos construindo os alicerces moral e emocional da criança. Tudo está sendo forjado nessa convivência da qual infelizmente elas guardarão pouquíssimas lembranças, ainda que passíveis de resgate. Minha utopia é guardar cenas como essas para sempre na minha memória. É a história da minha vida que eu faço questão de recordar.

O dente mole me anuncia que a filha de 5 anos está ficando para trás. Do lado de fora, aquecendo e pronta para entrar em campo, tem uma menina de 6. Essa substituição, sutil e repentina, aproxima cada vez mais o futuro do presente – este momento para o qual às vezes temos tão pouca disponibilidade. Quando eu estiver adiante na estrada, e o dente mole for apenas uma cena das minhas lembranças, sentirei muitas saudades desses personagens pequenos e engraçados que falam pulando no mesmo lugar.

– Se você tivesse direito a um desejo, ia querer ser adulta por um dia para saber como é? – pergunto à Letícia, agora com 8 anos.

– Não, eu ia pedir para ser criança de novo.

epílogo

Na intimidade da nossa casa, quando dificuldades aparecem, quem nunca se questionou: "Será assim na casa de todo mundo ou haverá algo especialmente difícil para mim?". Apostei que temos mais em comum do que supomos. Filhos são a prova material da nossa vulnerabilidade e divindade, de uma só vez.

Ser pai e mãe é um exercício diário de paciência, coragem e abnegação. Tento não deixar evaporar aquele sentimento de gratidão experimentado no momento em que recebi cada uma dessas crianças na minha vida. Gerar gente de verdade nos torna um pouco embaixadores divinos na terra. Faz aflorar nossa espiritualidade no sentido mais mundano. O cotidiano pode nos levar à acomodação e roubar este estado de graça que só recupera quem se vê obrigado a reconstruir a vida em novas bases. Eu aprendi, ao lado das minhas filhas, que cada dia é uma história com princípio, meio e fim, uma oportunidade para rir, chorar, aprender e agradecer.

Ainda não inventaram combustível melhor para gerar boas tiradas do que a inocência. Não conheço ferramenta mais surpreendente para observar o mundo do que o olhar infantil. Ele compõe diariamente poesias ao meu redor. Crianças nos dão leveza e nos irritam também, eu sei – dá para ver isso no livro, eu acho –, mas são incapazes de remoer sentimentos até que aprendam com os adultos. Elas conseguem oferecer soluções simples para problemas aparentemente intransponíveis e também sabem complicar a relação que parecia desembaraçada porque encrencam na hora errada. Você entende o que eu quero dizer.

Nenhuma experiência nos revelará de forma tão eficaz nossas habilidades e fraquezas. Como mãe, mulher e jornalista, percebo o quanto essa vivência vem acrescentando nuances de tolerância e sabedoria a todos os aspectos da minha vida. Aumentou, por exemplo, minha curiosidade pelo outro. Depois de anos dedicados a interrogar e ouvir histórias, eu finalmente aprendi a escutar.

Educar é um plano de voo sem destino certo. Cabe aos pais no início da viagem ajustar a velocidade e definir as coordenadas inegociáveis. Queremos garantir estabilidade e dar segurança aos filhos, mas há turbulências.

A rota muda tanto quanto as pessoas envolvidas nessa viagem. Surgirão novos rumos, trepidações e imprevistos. Até as escolhas de cada um se definirem, nossos filhos crescerão. Perderemos o ar de invencibilidade e seremos apenas humanos.

Enquanto os filhos forem pequenos, haverá muito em nossas mãos. O tom de um diálogo é dado por nós. Ouvir o outro é uma iniciativa nossa. Para deixar-se surpreender, é só desacelerar e observar. A mais banal das situações colore de graça qualquer convívio conturbado. O sofrimento nos fortalece, as dificuldades nos aproximam, mas o trivial é o revestimento capaz de enfeitar o relacionamento familiar e impregnar com sorrisos essa memória em construção. O que viemos fazer neste mundo afinal? Aprender com os dias difíceis e com as cores felizes da caminhada.

o que dizem os piores pais e mães do mundo

Clara Favilla @clarafavilla
Tomara que o livro seja um alento para nós, as piores mães do mundo... Rs!

Maura M. A. Giuliano @d_maura
Respeito de verdade quem escolhe não ter filhos. Mas minha melhor escolha foi ter.

Monica @monicabayeh
A pior mãe do mundo? Somos todas nós!

Taciana Baptista Bovo
Tenho um casal de filhos. Não é nada fácil ouvir reclamação quase todos os dias e ser chamada de chata.

Marcelo Waddington
Foi como se você estivesse falando comigo. Obrigado. Ps.: Sou pai de seis filhos. O pior pai do mundo.

Nilson G. S. Junior
Que pai ou mãe se exime de, vez por outra, ser o pior do mundo? Hoje foi você, amanhã serei eu. Talvez o melhor seja ser avô.

Vania Cesário
Os ânimos acalmam, a raiva passa, mas não me iludo. Como mãe de dois pequenos ainda vou me encontrar com essa pior mãe do mundo muitas vezes!

Simone Trojan Franco
Como dóóóóóóói ser chamada de chata pela primeira vez (muitas outras vêm depois!). Aí você lembra da sua mãe te dizendo "quando você tiver seus filhos você vai entender".

Andressa Fourquet
Acredito que somente as piores mães do mundo podem criar os melhores cidadãos do mundo. Pena que elas são tão raras.

Rodrigo Capistrano
A pior mãe do mundo... Esse texto parece ter sido escrito pela minha mulher!

Luciana Amaral
Minha filha também já disse algumas vezes que sou a "pior mãe do mundo" ou a "mamãe chata". É assim, aos trancos e barrancos, que nós tentamos educar essas criaturinhas tão lindas.

Composto em Calisto e Arsenale White.
Impresso em Cartão Supremo 250g/m²
e Avena 80g/m² pela Edigráfica para o
Grupo 5W em setembro de 2014.